La déclaration d'indépendance

Lisez tous mes livres!

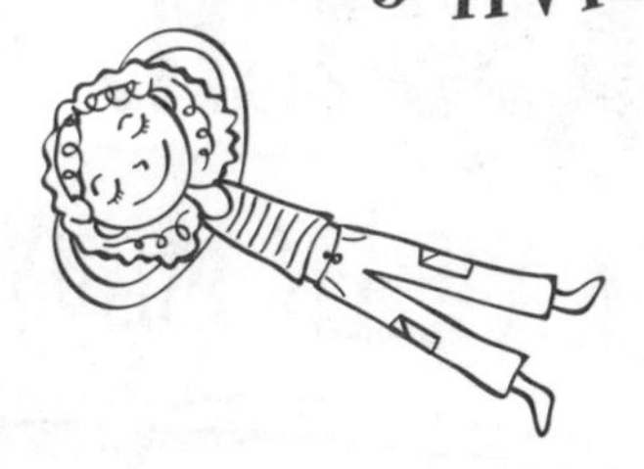

1 Après la pluie, le beau temps

2 La déclaration d'indépendance

La déclaration d'indépendance

ANNE MAZER

Texte français de Marie-Andrée Clermont

Illustrations de la couverture et de l'intérieur
Monica Gesue

Conception graphique
Dawn Adelman

Catalogage avant publication
de la Bibliothèque nationale du Canada

Mazer, Anne
La déclaration d'indépendance / Anne Mazer ; illustrations de Monica Gesue ; texte français de Marie-Andrée Clermont.

(Abby H. ou la vie en mauve)
Traduction de: The Declaration of Independence.
ISBN 0-439-97026-1

I. Gesue, Monica II. Clermont, Marie-Andrée III. Titre.
IV. Collection: Mazer, Anne Abby H. ou la vie en mauve.

PZ23.M4499De 2003 813'.54 C2003-903322-8

Édition publiée par les Éditions Scholastic, 175 Hillmount Road, Markham (Ontario) L6C 1Z7.

5 4 3 2 1 Imprimé au Canada 03 04 05 06

Pour Annika

Merci à Jane pour tout ce qu'elle m'a appris au sujet du Web;
à Max, pour le soutien technique;
et à Mollie, pour son enthousiasme et
sa compétence d'élève de cinquième année.

La déclaration d'indépendance

Chapitre 1

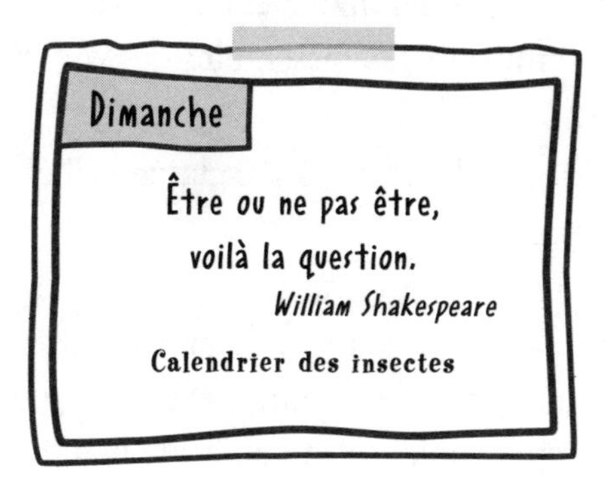

Être quoi, voilà la question. Et pourquoi, en voilà une autre. Pourquoi personne ne se la pose, celle-là?

Brianna organise une fête pour son anniversaire. Elle invite la cinquième année au grand complet. Ce serait amusant, sauf que tout le monde doit se déguiser.

Qu'est-ce que je vais être? Et pourquoi dois-je être quelqu'un d'autre que moi-même?

Lorsque Abby rejoint sa famille au salon, ses parents et ses sœurs jumelles regardent le téléviseur qui semble être en panne, tandis qu'Alex, son jeune frère de sept ans, actionne furieusement la télécommande.

— As-tu trouvé le problème, Alex? demande Éva.

À peine rentrée d'un entraînement de basketball, la jeune fille fait les cent pas dans la pièce, toujours dans son short d'exercice et son maillot en jersey, au dos duquel le chiffre 1 est brodé en relief.

Alex ne répond pas. Bien qu'il ne soit qu'en deuxième année, il est un crack en maths et en électronique et consacre ses temps libres à assembler des robots informatisés.

— Bien sûr qu'il l'a trouvé! s'exclame Isabelle, la jumelle d'Éva.

Elle agite les mains pour faire sécher ses ongles, qu'elle vient de vernir de cinq nuances de mauve différentes. Elle porte une longue jupe de velours surmontée d'un haut en lycra de même couleur. Un collier de métal lui entoure le cou.

— Alex sait ce qu'il fait, ajoute-t-elle. Pas vrai, Alex?

Celui-ci marmonne une réponse indistincte. Il appuie sur un bouton et l'écran vire au bleu pendant quelques secondes, avant de s'éteindre de nouveau.

— Abby, tu arrives juste à temps pour le passage crucial, blague son père, le doigt pointé sur le téléviseur. J'espère que tu ne trouveras pas ça trop excitant.

Abby ferme les yeux.

— Avertis-moi quand la scène épeurante sera finie! dit-elle.

— Ha, ha! Très drôle! dit Éva en sautillant sur place.

Tant par son style que par sa personnalité, Éva est tout le contraire de sa jumelle Isabelle. Quand elle n'est pas en tenue sportive, elle arbore des chemises boutonnées qu'elle porte sur des jeans bien pressés. Et jamais elle ne se fait de manucures.

Ses lunettes de lecture sur le bout du nez, la mère d'Abby examine des papiers qu'elle a sortis de sa serviette et étalés sur le divan. Elle a changé son tailleur en laine pour un pantalon en molleton et un t-shirt.

— Maman, pourrais-tu te présenter devant le tribunal, habillée comme ça? demande Abby.

— Mais oui... bien sûr.

Maman n'écoute pas. Elle a une cause à réviser d'ici demain matin. Parfois, Abby est tentée d'écrire ses émotions dans un document juridique et de le tendre à sa mère, dans le seul but d'obtenir son attention pour elle seule. Mais elle devrait alors ponctuer ses phrases de mots et de tournures bizarres, comme « nonobstant », « attendu que » ou « ci-devant », à la manière des avocats.

Abby n'a pas envie d'utiliser un jargon aussi compliqué. Mme Élizabeth, son enseignante préférée, répète toujours que c'est un art d'écrire des phrases claires et toutes simples.

« Mme Élisabeth pourrait peut-être offrir une session de création littéraire aux avocats, songe Abby. Ils en auraient bien besoin! »

Elle lui en parlera la prochaine fois qu'elle la verra.

— Éva, veux-tu arrêter ça! ordonne Isabelle, en voyant sa sœur bondir sur place en agitant les bras et les jambes. Tu as l'air d'un moulin à vent.

— J'augmente le rythme de mes pulsations, rétorque Éva. Le cœur est un muscle. Il faut le faire travailler. Et ce n'est pas en passant la journée assise à la bibliothèque qu'on y arrive, ni en se peignant les ongles de la couleur du papier peint.

— L'entraînement le plus important est celui de l'esprit! rétorque Isabelle du tac au tac. La concentration mentale améliore la santé et la performance physique! Tu devrais le savoir, Éva. Les meilleurs athlètes se conditionnent mentalement avant de s'entraîner physiquement.

— Tu m'en diras tant! fait Éva.

Isabelle a beau exceller dans les débats oratoires, cela n'empêche pas Éva de discuter avec elle. Celle-ci croit au chiffre 1 brodé en relief sur son maillot de basketball.

Poussant un soupir, Abby s'affale dans son fauteuil. Elle saisit le cahier mauve que Mme Élizabeth lui a donné au premier cours de création littéraire. C'est dans ce cahier qu'elle rédige son journal intime. Elle l'ouvre à une page blanche.

Et c'est reparti entre mes super grandes sœurs numéro 1 et numéro 2. L'esprit versus la matière. « La matière sest le lien qui enchaîne l'esprit; c'est l'instrument qui le sert et sur lequel, en même temps, il exerce son action. »

Voilà une citation assez intéressante tirée du Calendrier du génie que m'a offert ma nouvelle amie Nathalie, la semaine dernière. Nathalie a déménagé en ville juste avant la rentrée. Elle adore la chimie, les romans-mystères et les livres d'Harry Potter. (Je me demande s'il y a d'autres pottermaniaques en cinquième année. Je ne voudrais pas que Nathalie les préfère à Jessica et à moi.)

Le niveau de décibels vient de monter dans la chicane entre mes sœurs. Une détonation supersonique est sur le point de se produire. Papa demeure indifférent à leurs cris. Il essaie d'aider Alex à réparer le magnétoscope. Maman n'entend rien. Une explosion emporterait le toit de la maison et elle resterait plongée dans son dossier. Elle a un pouvoir de concentration impressionnant. Je comprends pourquoi elle a du succès comme avocate.

Quant à moi, mon journal intime est mon meilleur ami (à part Jessica, et peut-être aussi Nathalie). Écrire, c'est consolant, comme le répète Mme Élizabeth. J'ai cherché « consolant » dans le dictionnaire d'Isabelle. Le mot

me paraissait glissant comme de l'huile de foie de morue, ce médicament dégueulasse que les enfants devaient prendre dans les romans d'il y a longtemps. Ils détestaient tous ça. Heureusement, nous n'avons plus d'huile de foie de morue aujourd'hui.

« Consolant » signifie « qui allège la peine ou la détresse ». Comme un médicament, mais sans être un truc dégueu comme l'huile de foie de morue.

Mon journal est apaisant et réconfortant comme un oreiller moelleux ou comme de la musique dans la nuit. Comme lorsque je suis malade et que ma mère entre dans ma chambre pour poser sa main sur mon front.

Comme... oh, oh! Coupez! Nous interrompons la rédaction de ce journal pour faire une annonce spéciale.

La détonation supersonique des jumelles approche. Le visage d'Isabelle vire au mauve – le même que ses ongles. Éva halète et suffoque – mais ça n'a rien à voir avec ses exercices. Alex redouble d'ardeur pour remettre le magnétoscope en état de marche avant que l'impétueuse furie de mes sœurs ne fasse sauter la baraque. Papa sourit comme si de rien n'était. Maman a toujours le nez dans son dossier. Mon journal est-il à l'épreuve des détonations supersoniques?

Éva et Isabelle se font face et se crient des insultes. Abby referme son journal, dans l'attente de l'explosion finale. Comment écrire au milieu de ce vacarme, de toute façon?

— Vas-y, Alex! Fais ton tour de magie, le presse Abby.

Son petit frère se penche sur les boutons de commande. Comme d'habitude, ses cheveux pointent au plafond et il a mal attaché sa chemise. En plus, il porte des bas dépareillés, l'un vert et l'autre bleu.

« Laissons les jumelles régler leurs chicanes entre elles », aime à dire papa. Sauf qu'en quatorze ans, elles n'y sont pas encore parvenues.

Si le téléviseur finissait par fonctionner, ça les distrairait de leur dispute. C'est ce qu'il faut, rien de moins. Si Abby avait le malheur de s'interposer entre ses sœurs en guerre, elle se ferait écrabouiller.

Le sort de la journée est donc dans les mains de son frérot de sept ans.

Alex pointe la télécommande vers le téléviseur. Celui-ci s'allume, puis une musique se fait entendre. Des images de citrouilles apparaissent à l'écran.

— Hourra, Alex! hurle Abby.

Une trêve se produit dans la bataille entre Éva et Isabelle. Maman lève les yeux de son dossier.

— Le bouton à l'arrière de l'écran était sur le canal quatre, explique Alex. C'est sur le trois qu'on doit le mettre.

— Qu'est-ce qu'il y a, au juste, sur cette cassette? demande Abby.

— Le festival de la moisson de l'année dernière, à l'école secondaire.

C'est une tradition, chez les Hayes, de prêter mainforte à ce festival. L'année dernière, Éva s'est occupée du stand des prix, tandis qu'Isabelle jouait les diseuses de bonne aventure. La mère d'Abby a fait tirer des gâteaux, et son père a laissé les enfants lui lancer des éponges mouillées à la figure.

Abby a accompagné Alex à tous les jeux et dans toutes les activités dont il avait envie.

— Hé! Regardez ça! dit le jeune garçon en désignant l'écran.

Au milieu des enfants excités qui se font maquiller ou qui essaient d'attraper des pommes avec leurs dents, un vaisseau spatial apparaît tout à coup. Il vole à travers le gymnase dans une folle trajectoire, bondissant d'un mur à l'autre, avant de disparaître soudainement.

— Un OVNI au festival? demande papa. Je ne me souviens pas de ça.

— Je l'ai fait à l'ordinateur! s'écrie Alex. C'est facile!

— Très amusant, Alex! commente Abby.

Leur mère marque son approbation d'un signe de tête.

— Je devrais te faire trafiquer les vidéocassettes des réunions annuelles de notre conseil d'administration, remarque-t-elle. Un vaisseau spatial ne leur ferait pas de tort... ou même deux.

— Il a lieu quand, le festival, cette année? demande papa.

— Dans un mois, répond Éva en quittant le divan.

— On y va tous? demande maman.

— Oui! font les jumelles en chœur.

— Tiens! C'est bon de vous voir d'accord, vous deux, pour faire changement, souligne papa avec un sourire.

— Abby, tu vas accompagner Alex, cette fois encore, n'est-ce pas? dit maman.

Abby respire un bon coup. Elle adore son jeune frère et tous deux font beaucoup d'activités ensemble : ils jouent aux échecs (pas souvent, parce qu'elle perd à tout coup), ils font de la planche à roulettes, des excursions à vélo, ils cuisinent des biscuits... Alex l'a aidée durant son entraînement intensif en soccer, même s'il ne s'y connaît pas très bien dans ce sport.

Ce n'est pas qu'elle ne veuille plus être avec Alex, c'est seulement qu'elle désire passer plus de temps avec ses amies. L'année prochaine, elle fréquentera l'école intermédiaire. Elle est assez vieille, maintenant, pour sortir davantage par elle-même et avoir plus d'indépendance.

De plus, le festival serait tellement amusant si elle pouvait flâner ici et là en compagnie de ses amies! Il y aura des jeux d'adresse, de la musique, de la barbe-à-papa, des gâteaux, des prix à gagner, tout cela au milieu d'une foule joyeuse.

— Je veux y aller avec mes amies, annonce Abby. Je veux me rendre au festival à bicyclette, avec seulement Nathalie et Jessica.

Chapitre 2

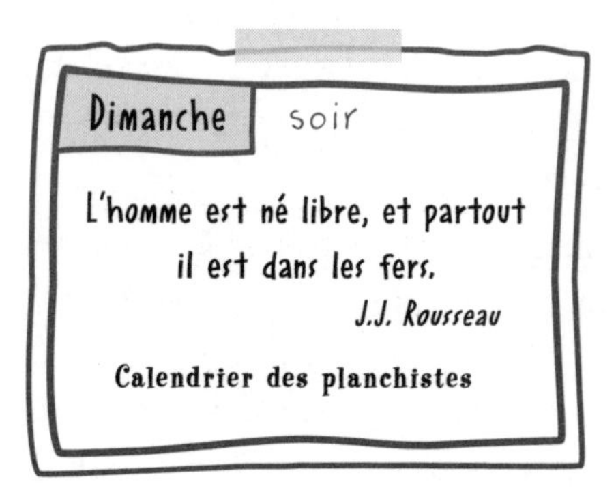

Ha! Ça, c'est sûr! Je parie que celui qui a écrit ça connaissait ma famille.

Et maintenant, Abby H., votre reporter volante, vous présente les actualités chez les Hayes.

Bulletin de dernière heure : un silence atterré a accueilli la déclaration d'indépendance de la jeune Abby H. dans le salon familial. Cette élève de cinquième année a eu le culot d'annoncer qu'elle ne serait plus la gardienne-accompagnatrice d'Alex Hayes au festival de la moisson de cet automne, à l'école secondaire.

– Les enfants de dix ans ont le droit d'aspirer à la liberté et au bonheur, a-t-elle affirmé, et de vouloir se faire percer les oreilles. Et ils n'ont pas à traîner leurs petits frères partout.

– Je ne suis pas petit! a protesté Alex, furieux.

Sans tenir compte de l'interruption, Abby a revendiqué le droit de se rendre au festival à vélo avec ses camarades de classe, Jessica et Nathalie.

– Je veux me faire peindre des papillons sur le visage sans être obligée de me dépêcher parce qu'un élève de deuxième année attend que je l'emmène voir l'expo-sciences, a-t-elle plaidé.

Elle a annoncé qu'elle ne voulait plus se faire accompagner partout par ses parents ou ses grandes sœurs.

Les membres plus âgés de la famille Hayes ont accueilli cette déclaration avec stupeur et incrédulité. Paul Hayes, le père d'Abby, qui la soutient pourtant fréquemment envers et contre tous, s'est montré indigné et consterné.

– Nous qui comptions sur toi! a-t-il dit. Nous avons donné notre nom comme bénévoles, croyant que tu allais t'occuper d'Alex. Qu'est-ce nous allons faire, maintenant?

– Mais pourquoi vous n'emmenez pas Alex avec vous? a demandé Éva Hayes, athlète étoile qui ne cesse jamais de s'assouplir les muscles. Il a une bicyclette, lui aussi. Il pourrait vous accompagner, toi et tes copines!

– Regarde le pauvre enfant! Il a la mort dans l'âme! a renchéri sa jumelle fraternelle, Isabelle Hayes, désignant Alex Hayes qui boudait dans son coin. Comment peux-tu lui faire autant de peine?

Seule Olivia Hayes, qui ne comprend pas toujours sa fille de dix ans, a parlé avec la voix de la raison :

– Abby souhaite avoir plus de liberté et c'est bien naturel, a-t-elle remarqué. Mais elle doit d'abord prouver qu'elle possède la maturité nécessaire pour l'exercer. Il faut qu'elle prenne plus de responsabilités. En es-tu capable, Abby?

– Oui! a affirmé la jeune révolutionnaire.

Une discussion a suivi et son père a fini par reconnaître que cet arrangement était juste. Isabelle et Éva ont dû accepter de modifier leur horaire pour pouvoir s'occuper d'Alex pendant le festival. (Mais pas de gaieté de cœur.)

Alex n'était pas de bonne humeur non plus.

– Quand je vais vouloir lancer des balles, Isabelle ne sera pas contente, a-t-il gémi. Et quand on va visiter l'expo-sciences, Éva va trouver ça ennuyant.

Paul Hayes a tenté de rassurer son fils.

– Visite l'expo-sciences avec Isabelle, a-t-il suggéré, et lance des balles avec Éva.

– Abby m'a toujours emmené. C'est elle que je veux, et personne d'autre!

– Toi et moi, on va continuer de faire des activités spéciales ensemble, lui a promis Abby Hayes. Tiens, si on faisait de la planche à roulettes, la fin de semaine prochaine?

Alex Hayes lui a tourné le dos sans répondre.

Serrant son fils dans ses bras, Olivia Hayes lui a expliqué que sa sœur était en train de grandir et de vieillir.

– Ça veut dire que je peux me faire percer les oreilles? s'est empressée de demander Abby.

– Bel essai, mais c'est non, a répondu Olivia Hayes en riant.

C'est ainsi que s'est terminée la réunion familiale. Isabelle Hayes s'est replongée dans son étude, Éva Hayes, dans ses exercices de gymnastique. Olivia Hayes a remis ses lunettes pour retourner à son dossier et Paul Hayes est allé nettoyer la cuisine. Abby Hayes a monté son journal à l'étage pour rédiger ce bulletin de dernière heure, tandis qu'Alex Hayes répétait qu'il n'irait pas au festival sans elle.

Chapitre 3

Moi, je souhaite plutôt que ça me prenne peu de temps pour devenir vieille. Si j'étais plus vieille, je n'aurais pas à prouver que j'ai assez de maturité pour aller au festival avec mes amies.

Astuces pour étonner ma famille par ma maturité

Je réussis à tirer Alex d'un édifice en flammes. (Je dois attendre qu'un édifice prenne feu.)

Je conçois une page Web pour les clients de mon père. (Il faut apprendre à utiliser les programmes informatiques de papa.)

Je plaide une cause pour ma mère devant le tribunal. (Devrais-je faire mon cours de droit?)

Seule et sans aide, je sauve toute la famille d'un empoisonnement alimentaire.

(Devenir médecin, d'abord. Mais je risque de m'empoisonner, moi aussi, non? Bon, bon, on oublie la faculté de médecine, et on compose le 9-1-1.)

Ces idées sont trop compliquées et difficiles à réaliser. Je dois trouver quelque chose de plus simple, mais de très impressionnant.

Pensons! Pensons! Pensons!

Je pourrais faire mon lit chaque matin.

Préparer mon propre déjeuner.

Ranger mes vêtements, au lieu de les laisser traîner sur le lit, sur les chaises, sur le bureau ou par terre.

(Je suis supposée faire ces trucs-là, de toute façon, non?)

Ne pas rechigner si on me rappelle que c'est à mon tour de mettre la table.

Ne pas gémir : « Est-ce qu'il faut absolument que je le fasse? » ou « Pourquoi moi? » quand on me demande de balayer le plancher de cuisine.

REMUE-MÉNINGES!!! Les parents se plaignent à cœur de jour de toutes les corvées qu'il faut faire dans la maison. Ils se lamentent de ne pas avoir assez d'aide de leurs enfants trop absorbés par les sports, les études et les amis.

Je pourrais faire des tâches supplémentaires, dont personne n'a envie.

Mes parents seront épatés, impressionnés et renversés par ma maturité et mon sens des responsabilités. Ils me laisseront aller au festival, et chez Pizza Paradiso, avec Nathalie et Jessica. Peut-être qu'ils vont même me permettre de me faire percer les oreilles!

Alex cogne à la porte d'Abby à grands coups.

— Jessica est arrivée, crie-t-il. Elle vient te chercher pour aller à l'école!

La meilleure amie d'Abby entre dans la chambre. Jessica est grande, surtout comparée à Abby. Elle a les cheveux d'un brun brillant, très droits, et de grands yeux bruns. Elle porte son ensemble préféré : un chandail rayé et une salopette épinglée de signes de paix et de bonshommes sourires. Un inhalateur dépasse d'une de ses poches. L'asthme dont elle souffre n'empêche pas Jessica d'être une très bonne athlète. Au début de la saison de soccer, elle a aidé Abby à améliorer ses habiletés dans ce sport.

— Veux-tu entrer, Alex? invite Abby.

Son frère se joint souvent aux filles pour quelques minutes, le matin.

— Non! fait-il, avant de s'éloigner à pas bruyants.

— Qu'est-ce qu'il a? demande Jessica.

Abby hausse les épaules.

— Alex? Il est fâché que je ne l'emmène pas au festival.

— Les amies aussi, c'est important, remarque Jessica.

— Je suis bien d'accord.

Dommage qu'Alex ne soit pas aussi compréhensif que Jessica.

— Pour compenser, on va faire quelque chose de spécial ensemble, lui et moi, quelque chose d'inoubliable, promet-elle.

— Quoi donc?

— Je ne sais pas, mais ce sera quelque chose de bien!

Abby ouvre le tiroir de sa commode. Elle n'a pas trop de temps pour penser à son petit frère en ce moment. Elle a d'autres chats à fouetter.

— Regarde, dit-elle à Jessica en élevant ses anneaux en or de chaque côté de son visage. Est-ce qu'ils me vont bien?

— Oui, approuve son amie.

— Mes oreilles meurent d'envie de porter ces bijoux! s'exclame Abby. Elles paraissent tellement ternes et ennuyantes sans rien pour les enjoliver!

— Je te comprends! soupire Jessica, qui fait aussi campagne pour obtenir la permission de se faire percer les oreilles. J'ai vu des boucles d'oreilles en forme de vaisseau spatial au centre commercial.

La meilleure amie d'Abby adore tout ce qui a rapport au cosmos. Elle aimerait devenir astronaute.

— Ma mère ne m'a pas permis de les acheter, ajoute-t-elle.

— Je parie qu'elle va te les offrir pour ton anniversaire, dit Abby. Tu te rappelles? C'est ce qui est arrivé l'année dernière avec le globe terrestre que tu voulais.

Jessica sourit.

— Tu as raison! Peut-être qu'elle a l'intention de me donner la permission de me faire percer les oreilles pour ma fête. Chaque fois que je parle de boucles d'oreilles, elle change de sujet, mine de rien.

— Ma mère fait pareil, dit Abby. Surtout parce que ça la rend malade de m'entendre parler de ça à tout bout de champ.

Jessica jette un regard circulaire dans la chambre.

— Alors, ça y est? Prête à partir?

— Presque.

Abby remet les anneaux dans leur écrin et les range dans le tiroir. Elle se passe les mains dans sa tignasse rousse frisottée une dernière fois – sans aucun effet – et elle saisit son sac à dos.

— Hé, attends! Un peu plus et j'oubliais!

Filant vers son lit, elle tend les couvertures, secoue ses oreillers pour leur donner du volume, et tire la douillette proprement sur l'ensemble.

Son amie la regarde, ébahie.

— Abby! Tu fais ton lit?

Jessica est une maniaque de l'ordre et de la propreté. Elle fait toujours ses devoirs sans bavure. Elle garde son pupitre et sa chambre bien en ordre, et son esprit, également.

La chambre d'Abby, au contraire, est habituellement en désordre, tout comme ses pensées; et ses pages de devoirs sont aussi emmêlées que ses cheveux.

— Je prouve à ma famille à quel point je suis mûre, explique Abby. Sinon, mes parents ne me permettront pas d'aller au festival avec toi. Tu es chanceuse d'avoir une mère aussi accommodante!

— Tu sais comment elle est.

— Et pas de sœurs ni de jeunes frères, non plus! soupire Abby avec envie.

— Alex est super! dit Jessica. Je le prendrais n'importe quand.

Les deux filles descendent au rez-de-chaussée.

Le père d'Abby lit son journal dans la cuisine. Comme d'habitude, il est en robe de chambre et pas encore rasé. Il se lève toujours tôt et travaille, de son bureau à la maison. Il crée des pages Web pour ses clients et leur apprend comment faire des affaires par Internet.

Alex est en haut, à préparer son sac d'école. Les jumelles ont quitté la maison trente minutes plus tôt, et maman est partie au bureau de bonne heure.

— Bonjour, papa, dit Abby.

Elle prend un bagel sur le comptoir, le tartine de fromage à la crème et se dirige vers la porte.

— Salut, papa.

— Et ton déjeuner, Abby? fait papa en désignant une chaise. As-tu déjà songé à t'asseoir pour le manger? Et toi, Jessica? Tu n'aurais pas envie d'essayer ma recette spéciale de pain doré?

— J'ai déjà mangé, dit Jessica. Merci quand même.

— Voilà mon déjeuner, papa, dit Abby en agitant son bagel.

Elle espère que son père, premièrement, ne va pas lui servir un petit sermon sur l'importance de commencer la journée sainement et dans la détente; et, deuxièmement, qu'il n'insistera pas pour lui faire avaler son fameux pain doré.

— On se rend à l'école plus tôt pour installer les décorations d'automne.

— Des citrouilles? Des épis de maïs? Des courges?

— Du papier crêpé coloré, explique Jessica. Et des dessins que nous avons faits la semaine dernière, pendant le cours d'arts plastiques.

— Ah bon. Eh bien, passez une bonne journée à l'école, les filles!

Abby prend son sac et se dirige vers la porte.

— Salut papa, dit-elle. Je rentre tard, ce soir! On a un entraînement de soccer après l'école!

Elle attrape son chapeau de pêche dans la penderie.

— Salut, Alex! crie-t-elle.

Pas de réponse.

— SALUT, ALEX! crie-t-elle encore une fois.

Toujours rien.

Abby et Jessica échangent un regard inquiet. Il arrive à Alex de se fâcher, mais rarement autant que ça.

— Ça va lui passer, assure Jessica.

Abby l'espère bien. Elle envie parfois son amie d'être enfant unique. Ne pas avoir de frères plus jeunes ou de sœurs aînées, voilà peut-être le secret du calme de Jessica. Mais Abby se demande quelquefois si son amie ne s'ennuie pas de n'avoir personne à taquiner, à tourmenter ou avec qui jouer à la maison.

Elle proposera une partie d'échecs à son frère ce soir. Ça le mettra de meilleure humeur.

Il va devoir se faire une raison. Il n'a pas le choix. Abby refuse d'aller au festival avec sa famille, cette année. Elle a dix ans. Il faut bien qu'elle en vienne à s'affirmer un jour ou l'autre.

Chapitre 4

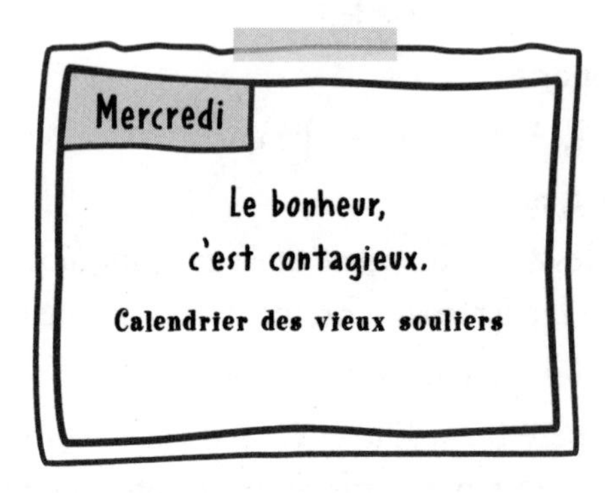

Vraiment? Si oui, pourquoi ma famille ne danse-t-elle pas de joie en voyant que je veux aller au festival avec mes amies?

La préparation de sa fête d'anniversaire remplit Brianna de bonheur. Elle n'arrêtait pas d'en parler pendant l'entraînement de soccer, hier. Un tas d'autres jeunes sont heureux, eux aussi. Mais pas moi!

Je ne sais pas quel costume porter. Ça me fait trop de choses dans la tête, alors que je dois concentrer le moindre gramme de mon énergie à prouver à quel point je suis mûre.

Liste des comportements « adultes » d'Abby H.

Je fais mon lit, depuis quatre journées consécutives. Même Isabelle ne fait pas le sien chaque jour! Après combien de fois aurai-je établi un record mondial?

(Vérifier le Livre Guinness des records du monde.)

J'ai ramassé mes vêtements de soccer tout boueux de mon plancher pour les déposer dans le panier à linge.

J'ai jeté mon devoir de maths roulé en boule dans la poubelle à papier, au lieu de le mettre dans mon sac à dos.

J'ai débarrassé la table de toute la vaisselle sale sans qu'on me le répète dix fois. (Maman me l'a demandé SEULEMENT deux fois.)

J'ai joué aux échecs avec Alex et je ne l'ai pas accusé de tricherie, malgré les sept parties qu'il a gagnées coup sur coup. Je n'ai pas jeté les pièces à bas du damier en signe de frustration. Je ne me suis pas sauvée à grands pas colériques.

J'ai fait preuve d'une retenue et d'un sang-froid incroyables.

Je suis mûre. J'ai même une très grande maturité. Comment se fait-il que personne dans la famille ne s'en soit aperçu???? Ils agissent tous comme si de rien n'était!

Le grand sujet de conversation, à l'école, c'est la fête chez Brianna. Et celle qui en parle le plus, c'est Brianna.

— Il va y avoir un groupe de musiciens, annonce-t-elle à tout le monde à l'heure du dîner. Il y aura de la danse et des rafraîchissements. Ça va être *la* fête de la cinquième année.

La main sur la hanche, elle rejette ses longs cheveux foncés sur ses épaules. Elle porte une robe à bretelles en tissu scintillant et des souliers à plates-formes en suède assortis. Elle a les bras nus, mais elle ne frissonne pas.

Assise un peu plus loin avec Nathalie et Jessica, Abby frissonne rien qu'à la regarder. Brianna a-t-elle froid? Ou a-t-elle simplement le sang froid? Comment peut-elle porter une robe sans manche à la fin d'octobre? Elle a peut-être besoin d'un calendrier pour se faire rappeler la date.

« Tiens! Voilà une idée pour son cadeau d'anniversaire! songe Abby. Je pourrais lui acheter un calendrier avec plein de cases vides où mettre des photos d'elle-même. Elle préférerait peut-être un livre de fanfaronnades. »

Abby mord dans le sandwich à la salade aux œufs qu'elle a confectionné pour son dîner. Beaucoup trop salé. Une chicane est survenue entre ses sœurs pendant qu'elle le préparait et ça l'a distraite.

— Ses cousins font partie du groupe de musiciens, dit Béthanie, la meilleure amie de Brianna. Ils vont à l'école intermédiaire.

Tout comme sa meilleure amie, Béthanie a enfilé une robe courte et des souliers à plates-formes. Ses longs cheveux blonds sont ramassés en queue de cheval.

« Elle, au moins, porte un chandail », songe Abby. Béthanie imite Brianna dans presque tout ce qu'elle fait, mais elle a assez de jugement pour ne pas mettre de vêtements d'été en automne.

— Mes cousins sont professionnels, renchérit Brianna. On les paie quand ils jouent à des fêtes d'anniversaire.

— Des fêtes d'enfants, probablement, chuchote Abby à Jessica et Nathalie.

— Nous allons aussi remettre des prix pour les costumes les plus réussis, enchaîne Brianna en lorgnant vers Zach. Plus réussis, comme dans plus beaux.

— Ça, c'est Brianna! coupe Béthanie.

Brianna sourit avec grâce.

— Ou plus comiques, ou plus originaux. Je pense que tu devrais essayer d'obtenir le prix du costume le plus original, Zach. Est-ce que tu n'étais pas déguisé en clavier d'ordinateur, l'année dernière, pour l'Halloween?

Mais Zach ne l'écoute pas. Il est penché sur le jeu d'ordinateur qu'il a apporté à l'école, malgré l'interdiction.

Abby glisse son journal sur ses genoux et prend sa plume mauve.

Qu'est-ce que Brianna voit de si intéressant chez Zach, pour lui tourner autour comme ça?

Cheveux : blonds. Yeux : bleus. Cils : longs et foncés. Un nez. Une bouche. Un menton. Juste les trucs habituels.

Son esprit : obsédé par l'électronique. (Bébé, Zach a été trouvé sur le pas de la porte par des ordinateurs affectueux, et ce sont eux qui l'ont élevé. Un disque dur lui a sauvé la vie quand il était tout jeune.)

Il aime aussi le soccer, le hockey sur glace et le basketball. Son meilleur ami est Tyler.

Conclusion : Zach ressemble à tous les autres garçons de cinquième année, et il agit comme eux.

Je n'arrive pas à comprendre pourquoi Brianna le trouve à son goût. Voilà une des grandes énigmes de l'univers, à ajouter à celles des pyramides et du triangle des Bermudes. Impossible d'expliquer ça à un esprit rationnel.

— En quoi vas-tu te déguiser à la fête de Brianna? demande Jessica à Nathalie.

Abby prend une autre bouchée de son sandwich aux œufs trop salé, puis une gorgée de jus de fruit pour la faire passer.

— Je gage que tu vas te costumer en Harry Potter, dit-elle.

Nathalie est mince et a de courts cheveux noirs. Elle ne semble pas se préoccuper de ce qu'elle porte; ses vêtements sont foncés, fripés, et parfois tachés par ses expériences chimiques.

— Mes parents ne veulent pas que j'y aille, avoue-t-elle.

— Pourquoi pas? demandent Abby et Jessica d'une même voix.

— Je n'arrive pas à comprendre ce qu'ils pensent. Ou bien je suis trop jeune, ou bien je suis trop vieille! dit Nathalie en tournant sa cuillère dans son pot de yogourt. Si j'étais en première année, ils seraient d'accord. Si j'étais en neuvième année, ça irait également. Mais comme je suis en cinquième année, il n'en est pas question. Je suis prise entre les deux.

— C'est tordu, comme raisonnement! s'écrie Abby.

— Ils vont peut-être changer d'avis, dit Jessica.

— Peut-être, dit Jessica d'un ton de doute.

Abby se demande si elle devrait demander à ses parents de téléphoner à ceux de Nathalie. Pourraient-ils les convaincre de la laisser y aller? Sa mère pourrait plaider la cause de Nathalie. C'est commode d'avoir une avocate dans la famille. « Je leur demanderai tout à l'heure », se promet-elle.

— Et au festival, alors? demande-t-elle. Jessica et moi, on espérait que tu viendrais avec nous à bicyclette. Tes parents vont-ils te le permettre?

— Je vous rencontrerai là-bas, dit Nathalie. Ma mère va vendre des billets. Je dois m'y rendre avec elle.

Jessica se lève.

— Je vais chercher du lait au chocolat, dit-elle à ses amies. Vous voulez quelque chose?

— Une barre de crème glacée, dit Abby en cherchant de la monnaie dans sa poche.

Elle devrait économiser son argent de poche en vue du festival plutôt que de le dépenser pour acheter un deuxième dessert. Sauf qu'elle a encore faim. Son sandwich goûte vraiment trop mauvais. Elle le repousse.

— Tu vas le jeter? demande Zach. Si oui, je le prends.

— Il est dégueulasse, le prévient Abby.

Zach mord dans le sandwich.

— C'est bon, dit-il. J'adore la salade aux œufs.

On aura tout vu! Zach le trouve bon!!! Est-ce que les gars ont une sorte de broyeur de vidanges dans l'estomac? Ils boufferaient n'importe quoi.

Ce sandwich est si salé que Zach va se mettre à flotter s'il le mange au complet.

Je devrai me concentrer plus, demain, en me préparant à dîner – me tenir loin de la salière, à moins d'être calme et bien concentrée.

Ou alors acheter un repas à l'école.

Non, je préfère choisir ma propre bouffe. Je peux ainsi prouver à mes parents que j'ai de la maturité ET apporter deux desserts.

Idée de costume n° 1 : déguisement méli-mélo. Une queue de chat noir (première année) avec un masque de sorcière (deuxième), un drap de fantôme (troisième) et les ongles rouges très longs que je portais avec mon costume de vampire (en quatrième). Ha, ha! Je vais gagner le prix du costume le plus embrouillant!

Pourvu que Brianna ne s'imagine pas qu'on va danser avec les garçons! Elle lorgne vers Zach chaque fois qu'elle mentionne qu'il y aura de la danse.

La cloche sonne. Abby referme son cahier, jette son berlingot de jus et se dirige vers la salle de classe en compagnie de ses amies.

Chapitre 5

Ceux qui sont prudents vont rarement au festival de la moisson (ni nulle part, en fait) avec leurs meilleurs amis.

Seuls les audacieux font ce qu'ils veulent!

J'ai demandé à Isabelle le sens du mot errer. (On dirait quelqu'un qui s'éclaircit la gorge.) Ça veut dire se tromper, faire des erreurs, m'a-t-elle expliqué. Je passe mon temps à errer. Mais pas en ce qui concerne le fait d'aller au festival avec mes amies!

Liste des actes audacieux d'Abby H.

Je continue à faire mon lit, à déposer mes vêtements sales dans le panier à linge, à jeter mes cochonneries dans la corbeille à papier et à garder mes affaires en ordre.

C'est moi qui débarrasse la table, cette semaine, même

si c'est au tour d'Alex.

J'offre à papa de lui faire ses rôties.

Je vais chercher la serviette de maman avant son départ pour le travail.

Je souris beaucoup. Même si le visage me fait mal.

(Note : j'ai vérifié dans Le livre Guinness des records du monde. Il n'y a pas de catégories pour ceux qui font leur lit. Je vais écrire une lettre pour protester contre cette politique injuste. Ou alors commencer un Livre Hayes des records du monde, comprenant des catégories pour ceux qui font leur lit, pour ceux qui perdent en jouant avec leurs frères plus jeunes et conservent leur bonne humeur, et une autre pour la personne désordonnée qui garde sa chambre propre le plus longtemps.)

Réactions familiales à ces actes audacieux

Ce qu'ils sont supposés dire :

« Abby, c'est difficile de croire que tu as seulement dix ans! Non mais, tu agis comme une adulte! Tu as une telle maturité et un tel sens des responsabilités que nous avons décidé de te laisser faire tout ce que tu veux. Bien sûr que tu peux aller au festival à bicyclette avec tes amies, et n'oublie pas d'arrêter chez Pizza Paradiso sur le chemin du retour. Tiens, voici vingt dollars. Amuse-toi bien en les dépensant. Mais arrange-toi pour rentrer avant la nuit, parce qu'on doit aller au centre commercial te faire percer les oreilles. »

Ce qu'ils auraient pu dire :

« Très bel effort, Abby! Tu es sur la bonne voie pour obtenir la permission d'aller au festival avec tes amies. »

Ce qu'ils ont dit, en fait :

« Merci, Abby. Pourrais-tu me trouver mes lunettes? Je les ai déposées quelque part. »

J'espérais que le plan A (A pour Action Audacieuse) ferait Applaudir mes parents et provoquerait leur Admiration. Comme ça n'a pas marché, je passe au plan B (pour plus Beau, plus Brave et Brillant).

Seuls les actes les plus héroïques impressionneront Paul et Olivia Hayes. Je dois manifester cran, force et bravoure. Je m'acquitterai des corvées les plus dégueulasses sans sourciller. Je vais nettoyer le lavabo de la salle de bains. Je vais peut-être même m'attaquer à la baignoire.

Changement de sujet (Dieu merci!)

Pendant le cours de création littéraire, jeudi matin, Mme Élizabeth nous a parlé des haïkus, ces poèmes japonais comprenant trois lignes et dix-sept syllabes. Les haïkus évoquent souvent la nature. Ce n'est pas obligatoire que les nôtres aient dix-sept syllabes, mais il faut qu'ils aient trois lignes. Mme Élizabeth nous a dit d'écrire quelque chose de surprenant à la dernière ligne.

Zach a levé la main pour demander si la surprise pouvait être de gagner un million de dollars.

– Oui, a répondu Mme Élizabeth en souriant. Pourvu que ça rentre dans le poème.

– J'ai écrit des haïkus au camp d'été, a dit Brianna. Ma mère les a fait encadrer et en a donné à tous nos amis.

Béthanie a levé la main.

– J'en ai reçu un, a-t-elle dit. Il parle de Brianna qui danse.

– J'aurai du mal à choisir mon sujet, a avoué Brianna, entre ma fête d'anniversaire, la danse ou le fait d'être capitaine au soccer.

Celui de Jessica portera sur l'observation des planètes.

Nathalie n'a pas décidé si elle va s'inspirer d'Harry Potter encore une fois. Ça fait déjà six textes de création littéraire qu'elle rédige sur lui.

– C'est le temps de passer à des poèmes sur la chimie, annonce-t-elle.

Je me demande sur quoi je vais écrire.

Abby n'a pas encore eu la chance d'écrire quoi que ce soit quand elle entend frapper à sa porte de chambre.

Éva entre et s'assoit sur le lit bien fait. Elle examine le tapis propre, fraîchement passé à l'aspirateur. Puis son regard s'attarde sur les nombreux calendriers qui ornent les murs, en particulier le calendrier des patates, le préféré d'Abby. Elle hoche la tête, soupire, puis se tourne vers sa jeune sœur.

— Abby, me rendrais-tu un service?

Abby se croise les bras et son visage prend l'expression de quelqu'un qui ne s'en laissera pas imposer.

— Quoi, au juste?

— Je veux aller à une partie de hockey, ce soir, mais je dois d'abord nettoyer la salle de bains.

— Et alors?

— J'ai pensé que tu pourrais le faire.

— Moi? Je ne nettoie pas les salles de bains.

Abby ne va pas avouer qu'elle avait en fait l'intention de la laver ce soir même. Elle ne va pas révéler à sa grande sœur qu'elle a déjà sorti de la cuisine une éponge et une paire de gants de caoutchouc.

— Tu ne pourrais pas faire quelque chose pour moi, non? crie Éva. Moi qui emmène Alex au festival pour que tu puisses t'amuser avec tes amies.

— Oh, c'est vrai. D'accord, je vais le faire.

— Merci, sœurette. Tu es la meilleure, fait Éva en se levant. Les produits de nettoyage sont sous le lavabo. N'oublie pas de polir les robinets!

Note à moi-même : je l'ai échappé belle! Un peu plus et je faisais le travail d'Éva sans le savoir. À l'avenir, m'assurer que je ne fais pas les corvées de mes super grandes-sœurs en voulant prouver ma maturité aux parents!

Haïkus

1.

Les mains couvertes de mousse à récurer
Je frotte le lavabo de la salle de bains.
L'a-t-on enduit de boue crasseuse?

2.

Perchée au bord de la baignoire
Isabelle pointe les coins oubliés
D'un ongle luisant comme une bombe.

3.

La mousse déborde de la baignoire
Le bain moussant s'est renversé.
J'appelle mes parents au secours!

4.

Le fleuve de bulles envahit tout
Les parents hochent la tête
Le plan est à l'eau.

Chapitre 6

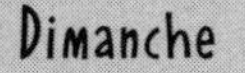

L'important, c'est de ne pas arrêter de poser des questions.

Albert Einstein

Calendrier des coupes de cheveux célèbres dans l'Histoire

Pourquoi???

Trop de questions dans le monde, et pas assez de réponses!

Questions de mes parents

Pourquoi la baignoire était-elle pleine de bulles?

Pourquoi n'ai-je pas fermé le robinet avant que les bulles se mettent à déborder de la baignoire?

Mais à quoi ai-je pensé de prendre les plus belles serviettes pour éponger le dégât?

Et, de toute façon, qu'est-ce que je faisais dans la salle de bains? N'était-ce pas au tour d'Éva de la nettoyer, cette semaine?

Mes propres questions

Qui a oublié de visser le bouchon de la bouteille de bain moussant?

Comment pouvais-je savoir que ce n'était pas une bonne idée d'ouvrir les robinets au max pour faire descendre la mousse dans le renvoi?

Bon, j'ai pris les « plus belles » serviettes! Et puis après, hein? Est-ce qu'il aurait fallu que je laisse les bulles continuer à envahir le plancher pendant que je cherchais les « plus laides »?

Si ces serviettes sont si précieuses, comment se fait-il qu'Éva et Isabelle s'en servent, hein?

Pourquoi est-ce toujours à moi que ces choses-là arrivent? (À cause de mes cheveux roux? Ou du gène bizarre qui a épargné le reste de ma famille pour me choisir, moi?)

On oublie les plans A et B, et on passe au plan C : C pour Créatif? ou Convainquant? Pourvu que je ne sois pas obligée de passer à travers l'alphabet au grand complet avant que mes parents me laissent prendre ma bicyclette pour aller au festival. J'aurai quatre-vingts ans avant d'arriver à Z.

Le plan C ne comprendra pas d'eau ni de savon.

Abby descend au rez-de-chaussée sur la pointe des pieds. Les autres dorment encore. Pour une fois, elle est la première debout. Elle a fait son lit, rangé sa chambre, et là, elle s'apprête à préparer le déjeuner de toute la famille.

« Voilà une entrée digne du Livre Hayes des records du monde, songe-t-elle. L'élève de cinquième année qui s'est réveillé le plus tôt, un dimanche matin. »

Le téléphone sonne. Abby attrape le combiné.

— Allô, Jessica, dit-elle en chuchotant.

— Es-tu levée? demande son amie.

— Mais oui. Ça fait une heure que je suis debout.

Abby hume l'air autour d'elle et y sent encore l'odeur du bain moussant. Bientôt, un délicieux arôme de crêpes fera oublier à sa famille le désastre de la veille au soir. Et pas question d'échouer, cette fois, puisque Jessica, un vrai cordon bleu, va lui donner un coup de main.

— Alors, tu veux que je vienne? demande celle-ci.

— Bien sûr, chuchote Abby. N'oublie pas : le plan C, pour Crêpes.

— Je suis là dans cinq minutes.

Abby file dans la cuisine. Elle sort le mélange à crêpes, les œufs, les tasses, les cuillères à mesurer, le beurre et le sirop d'érable.

La porte arrière s'ouvre et Jessica entre, emmitouflée dans un manteau et un foulard. Elle a les joues rouges.

— Il fait vraiment froid, dehors, dit-elle en sifflant. Je me demande si on va avoir de la neige. Je parie qu'ils ne vont pas annuler la partie de soccer de cet après-midi.

Elle sort son inhalateur pour asthmatiques, le pointe vers sa bouche, et prend une profonde inspiration. Puis elle jette un regard circulaire dans la pièce.

— Un mélange tout préparé? Pas question!

— C'est rapide, dit Abby. Et ça goûte bon. Isabelle s'en sert tout le temps pour faire ses crêpes.

— Eh bien, moi, je déteste ça, déclare Jessica.

Chaque semaine, celle-ci cuisine un repas pour sa mère et elle.

— Moi, ajoute-t-elle, je fais ma pâte à partir de zéro.

Zéro! Le mot ne paraît pas très prometteur. Il fait penser à un échec. C'est la note que tous redoutent de voir sur une feuille de devoir ou d'examen. Zéro... ce n'est pas très rassurant.

Ça ne fait pas penser à des bonnes crêpes dorées, couvertes de beurre et de sirop d'érable.

— Tu es certaine? demande Abby.

Elle pèse bien ses mots. Elle ne veut pas blesser Jessica. Après tout, son amie s'est dérangée pour venir l'aider à sept heures et demie, un dimanche matin. Combien d'amis en feraient autant?

— Tu sais, enchaîne Abby, il faut vraiment que j'impressionne ma famille. Surtout après hier soir.

— Eh bien, cette recette va les impressionner, affirme Jessica. Crois-moi, si les gens de ta famille ont l'habitude de manger des crêpes faites à partir d'un mélange, les miennes vont les jeter par terre. Ils vont tous en être fous.

— Fous? répète Abby d'un ton incertain. Ils me trouvent déjà folle, moi...

— Ne t'en fais pas, cette recette-là va leur faire oublier tout le reste, promet Jessica. Sors-moi la poudre à pâte, le lait, la farine et le sucre. Et si tu as des fruits, n'importe lesquels, on va les ajouter aussi.

Abby fouille dans les armoires, et en tire des boîtes, des pots et des bocaux. Jessica déniche des bols à mélanger et se met à mesurer la farine et le sucre.

Une demi-heure plus tard, au moment où les premières crêpes commencent à cuire, Alex s'amène dans la cuisine, ses cheveux pointant au plafond, comme chaque matin. Son haut de pyjama n'est pas assorti à sa culotte. Il porte une vieille paire de pantoufles et tient un clavier d'ordinateur déglingué sous le bras.

— Qu'est-ce que tu fais avec ce clavier, Alex? demande Jessica.

Assise à la table, elle feuillette un livre de recettes tandis qu'Abby fait sauter les crêpes dans le poêlon.

— Je le défais, répond-il. Je veux voir ce qu'il y a à l'intérieur.

— Tu veux des crêpes? lui offre Abby. C'est la recette spéciale de Jessica.

— D'accord, bâille-t-il en se traînant jusqu'à la table.

— Es-tu encore fâché contre Abby? veut savoir Jessica.

— Non, fait-il en esquissant une grimace.

De jour en jour, le jeune garçon paraît un peu plus amical et moins fâché. Lentement, mais sûrement, le dégel est en train de se produire.

— Aimerais-tu avoir des bleuets dans tes crêpes? demande Abby.

— D'accord, dit-il en bâillant de nouveau.

La jeune cuisinière jette des bleuets congelés dans la pâte, dont elle dépose ensuite quelques cuillerées dans le poêlon chaud. Sous son œil attentif, la crêpe se met à faire des bulles, puis Abby la retourne de l'autre côté, selon la méthode que lui a indiquée Jessica.

— Tiens, Alex, dit-elle en lui tendant une assiette. Ne verse pas la moitié de la bouteille de sirop d'érable dessus.

Alex pousse un grognement et prend la section des bandes dessinées du journal.

Les autres membres de la famille Hayes s'amènent bientôt dans la cuisine à leur tour.

— Qu'est-ce qui sent si bon? demande la mère d'Abby d'une voix ensommeillée.

Le dimanche est le seul matin de la semaine où Olivia Hayes reste au lit plus tard que 6 h 30. Pour souligner l'occasion, elle porte son vieux peignoir en ratine bleue et une paire de pantoufles en pilou qu'Abby lui a fabriquées en quatrième année.

— Si je me fie à mon nez, ça sent le café, aussi…

— Oui! confirme Abby. Bienvenue Chez Hayes, le café des petits matins tranquilles.

Enfilant un chandail en molleton sur son maillot de bain, Éva entre à son tour.

— Des crêpes! s'exclame-t-elle. Formidable! J'ai une session de natation dans une demi-heure. C'est le menu idéal pour m'y préparer.

Abby rayonne. Son plan fonctionne. Toute la famille est super contente. Les crêpes sont parfaites. Elle espère qu'elle et Jessica ont préparé assez de pâte pour que tous mangent à leur faim – y compris elles-mêmes. Elle a très hâte d'en goûter quelques-unes.

— À propos, Abby, enchaîne Éva, la baignoire brille comme un sou neuf. Comment as-tu fait? Tu m'épates vraiment. Elle a nettoyé la baignoire, hier soir, maman.

— Oui, je sais, dit maman, en levant les yeux de son journal.

— Je pense qu'elle devrait le faire plus souvent, renchérit Éva en souriant à Abby. Ça sent vraiment bon dans la salle de bains, en plus.

Abby devient toute rouge. C'est bien la dernière chose dont elle a besoin – qu'Éva ramène ainsi sur le tapis le désastre de la veille au soir.

Jessica vole à sa rescousse. Elle demande :

— Quelqu'un veut du chocolat chaud? Je vais faire chauffer du lait.

— Moi! s'écrie Alex.

— Moi aussi, dit le père d'Abby en entrant dans la cuisine.

Il porte une culotte et un chandail en molleton. Alors que, pour la mère d'Abby, le dimanche est le jour idéal pour faire la grasse matinée et lire le journal, son père aime bien faire son jogging dès son lever.

— Je vais en mettre dans mon café, dit le père d'Abby. Qui a préparé ce merveilleux déjeuner?

— Nous déjeunons Chez Hayes, le café des petits matins tranquilles, lui dit sa femme en souriant. Jessica et Abby en sont les chefs.

— C'est Abby qui a eu l'idée, dit Jessica.

— Sans Jessica, je n'aurais pas pu la réaliser, ajoute Abby.

— Réaliser quoi? demande Isabelle en faisant une entrée majestueuse, comme elle en fait souvent.

Elle est vêtue d'une longue jupe jaune et d'un t-shirt en V. Elle porte un collier en argent orné de fleurs en verre bleu, et elle a peint ses ongles du même jaune que sa jupe.

« Il ne lui manque qu'une couronne sur la tête, songe Abby, et un sceptre dans la main. »

— Elles se sont levées de bonne heure pour préparer le déjeuner, dit papa. Impressionnant, non?

Impressionnant. Enfin! Le mot qu'Abby attend depuis si longtemps.

— Ça démontre de la maturité, aussi, papa, lui rappelle-t-elle. Et ça prouve que je suis responsable.

— Qu'est-ce qui est arrivé à mon bain moussant? coupe Isabelle, en piquant une crêpe avec sa fourchette. Je voulais me détendre dans la baignoire, ce matin, mais j'ai dû prendre une douche, à la place.

— Bain moussant? répète Abby.

Elle aurait bien dû se douter que, juste au moment où tout allait si bien, une de ses super grandes sœurs viendrait tout gâcher.

La veille au soir, Isabelle n'a pas cessé de déranger Abby en lui indiquant tous les recoins qu'elle avait oublié de frotter. Puis elle est sortie pour assister à une pièce de théâtre avec ses amis, manquant ainsi le Grand désastre de la baignoire.

— Heu... eh bien, la bouteille s'est renversée pendant que je nettoyais la baignoire, marmonne Abby.

Jessica la regarde avec sympathie.

— La bouteille au complet? insiste Isabelle.

Abby fait oui de la tête. Ah, si elle avait pu sauvegarder au moins le contenu d'un bouchon de ce fichu truc! Isabelle serait en train de tremper dans la baignoire en ce moment, plutôt que de l'embarrasser devant toute la famille.

— De toute façon, Abby, pourquoi est-ce que tu nettoyais la salle de bains, au juste? Je voulais te le demander hier soir. C'était au tour d'Éva, cette semaine, pas vrai?

— Elle l'a fait pour me rendre service, dit Éva. Je vais m'occuper d'Alex pendant le festival, tu sais.

— Quoi? C'est pour ça que tu lui as fait nettoyer la salle de bains? s'indigne Isabelle.

Les yeux d'Éva se rapetissent, et son menton se lève en signe de défi.

— Ouais, c'est pour ça. Et puis après?

— N'ambitionne pas comme ça, la sermonne Isabelle. Tu devrais avoir honte! Et pourquoi faire tant de chichis avec cette histoire? Moi aussi, je vais m'occuper d'Alex pendant le festival!

Le jeune garçon, qui était plongé dans la lecture des bandes dessinées du journal, pousse soudain un hurlement strident :

— Je ne veux pas aller au festival avec Éva ou Isabelle! Je veux y aller avec Abby!

Éva et Isabelle ne portent pas la moindre attention aux plaintes de leur frère.

— Avoir honte? Et de quoi? crache Éva. Elle m'a pratiquement suppliée de lui laisser nettoyer la salle de bains! C'est pas vrai, Abby?

— Faux, répond Abby.

Heureusement, personne ne l'écoute. Quand les deux super puissances de la famille Hayes se lancent dans une bataille, la meilleure tactique est de se taire et de rester invisible.

— Abby! Abby! Je veux y aller avec Abby!

Les super jumelles se crient des injures par la tête, sur la musique de fond des gémissements d'Alex.

Hochant la tête, papa passe la porte et disparaît. Maman prend son journal et son café et se dirige vers le salon, marmottant que c'est son seul jour de paix.

Abby éteint la cuisinière et quitte lentement la cuisine, à reculons, suivie de Jessica.

— Ah! Que je voudrais donc être enfant unique! soupire-t-elle.

Jessica hoche la tête en guise de sympathie.

Les deux amies ont eu beau confectionner un déjeuner parfait – crêpes délicieuses, excellent café et merveilleux chocolat chaud –, les jumelles bagarreuses ont tout gâché. Les parents se sont fait rappeler à plusieurs reprises le désastre de la veille au soir, et Alex a de nouveau le cœur gros. Tous les efforts d'Abby sont réduits à néant.

Chapitre 7

Parfois, c'en est une longue. Il a fallu attendre jusqu'au déjeuner, lundi, avant qu'Alex accepte de me parler. Les jumelles se chicanaient quand j'ai quitté la maison, et elles se chicanaient encore quand je suis rentrée. Est-ce qu'elles se sont chicanées toute la journée? Éva avait une compétition de natation, alors elles ont bien dû s'arrêter quelques heures.

Après avoir nettoyé la cuisine, Jessica et moi sommes allées chez elle (dans sa maison certifiée sans frères ni sœurs). On avait une partie de soccer dans l'après-midi, et notre équipe a gagné. J'ai failli marquer un point! On gelait tout rond sur le terrain! Mais c'était mieux que d'être chez moi.

J'aurais eu envie de passer la semaine chez Jessica, mais il a bien fallu que je rentre à la maison pour élaborer le plan D.

Le plan C a été Catastrophique, Cataclysmique et Calamiteux. Tous ces mots évoquent le Désastre. Mais ce n'est pas ce que je vise avec le plan D.

Le plan D doit aller Droit au but, tout en étant Dynamique et Décisif.

Le Livre Hayes des records du monde

Abby H. a poursuivi ses efforts en vue de l'obtention du record mondial dans la catégorie des personnes qui font leur lit de façon ininterrompue (seize jours), et dans celle des personnes désordonnées qui gardent leur chambre propre (plus de deux semaines), sans oublier une mention spéciale dans la catégorie « bonne perdante aux échecs en affrontant un jeune génie » (vingt-cinq parties). De plus, elle vise le record dans la catégorie du plan le plus prometteur qui rate complètement (le déjeuner de dimanche).

(Devrais-je ajouter une autre catégorie : celle du temps le plus long pris pour décider d'un costume pour une fête d'anniversaire en cinquième année? Je pourrais décrocher le record dans celle-là, aussi!)

Idée de costume n° 2 : être invisible.

Voilà une bonne idée pour Nathalie. Si elle était invisible, elle pourrait venir à la fête chez Brianna avec Jessica et moi. J'ai demandé à ma mère de parler à sa mère, mais maman m'a expliqué que chaque famille a ses propres règles, et qu'on ne peut pas dire aux autres familles quoi faire.

À mon avis, les règles dans la famille de Nathalie sont injustes! J'ai parlé à Nathalie de ma Déclaration d'indépendance, mais elle a hoché la tête en disant que ça ne marcherait pas chez elle. Ça ne ferait qu'empirer les choses.

Elle est mal à l'aise parce qu'elle est la seule élève de cinquième année qui ne peut pas aller chez Brianna – pour la seule raison que c'est une fête mixte. Elle nous a demandé, à Jessica et à moi, de ne le dire à PERSONNE!

Nous lui avons promis de garder son secret au prix de notre vie.

Mais au moins, Nathalie peut venir nous rejoindre au festival.

À propos du festival, justement, mon père m'a dit, ce matin :

– Tu fais de gros efforts, Abby, et ta mère et moi, nous l'apprécions.

– Est-ce que ça veut dire que j'ai la permission d'aller au festival à bicyclette?

– Pas encore, a-t-il répondu. Mais poursuis tes efforts. Tu es sur la bonne voie.

C'est le premier signal que je reçois à l'effet que les plans A, B et C n'ont pas complètement échoué. Je redoublerai d'efforts dans l'élaboration du plan D.

– Tous les élèves de ma classe y vont tout seuls, ai-je dit à papa. Jessica, Brianna, Béthanie, Zach, Tyler, Rachel, Meghan et Jon s'y rendent tous par leurs propres moyens et avec leurs amis. Ils n'ont pas à prouver leur maturité. Leurs parents savent tout simplement qu'ils sont mûrs et responsables.

(Je n'ai pas mentionné Nathalie.)

– Tu dois quand même nous prouver que tu es assez responsable pour que nous te fassions confiance et te laissions faire des choses par toi-même.

Nathalie, Jessica et moi avons déterminé, par un vote, que c'est Jessica qui jouit de la meilleure situation familiale. Ni frères ni sœurs et un seul parent pas trop sévère.

Nathalie nous a confié qu'elle a un grand frère. Ça nous a surprises parce qu'elle ne nous en avait jamais parlé auparavant. Il n'habite pas avec sa famille, sauf l'été et pendant les congés. Il étudie dans un pensionnat. Il s'appelle Nicolas. Elle dit qu'il est encore plus détestable que mes super sœurs jumelles. Ça, c'est difficile à imaginer.

— Prenez un papier et un crayon! dit Mme Doris à ses élèves. Nous allons faire un test de maths contre la montre.

Abby pousse un grognement. Elle déteste les maths, surtout les tests de ce genre. C'est vraiment trop difficile! Alex, lui, pourrait résoudre des problèmes dans son sommeil, et sans doute le fait-il. Isabelle a de très bonnes notes dans toutes les matières. Quand la marraine-fée a distribué le gène des maths dans la famille Hayes, elle a sauté le berceau d'Abby. « Je me demande bien comment elle a pu me manquer, s'étonne celle-ci. Ma tignasse rousse ressemble à un clignotant lumineux! »

Elle lève la main.

— Madame Doris? Pourquoi est-ce qu'on fait autant de tests de maths?

L'enseignante s'éclaircit la gorge.

— C'est pour que vous soyez bien préparés aux examens du ministère que vous devez passer à la fin de l'année.

— En troisième année, je me suis classée dans le quatre-vingt-dix-huit centile, dit Brianna en lorgnant vers Zach. Et c'était à l'échelle du pays.

— Ouais, Brianna! dit Béthanie.

S'il existait un test à l'échelle du pays pour mesurer les fanfaronnades, Brianna se classerait dans le cent centile.

— Je déteste ces examens du ministère! marmotte Abby.

— Bon, ça suffit, coupe Mme Doris. Je veux que vous vous classiez tous dans le quatre-vingt-dix-neuf centile d'ici la fin de l'année. Toi comme les autres, Abby. Je sais que tu en es capable.

Elle distribue les tests.

Abby fixe la feuille remplie de fractions à multiplier et à diviser.

Par bonheur, elle a étudié hier soir.

Par malheur, elle a déjà oublié tout ce qu'elle a étudié.

En ce qui concerne les maths, son cerveau ressemble à une passoire. Les notions mathématiques y passent tout droit, comme de l'eau.

Nathalie et Jessica sont penchées sur leur travail. Ainsi que Brianna et Béthanie, Zach et Tyler, et la plupart de ses camarades de classe.

« Concentration! Concentration! » se dit Abby sévèrement. Pas question de revenir à la maison avec un échec en maths. Ses parents n'y verraient pas un grand signe de maturité et de responsabilité.

En avant, donc, pour les multiplications et les divisions! Elle a réussi à résoudre tous les problèmes, sauf un, quand Mme Doris ramasse les feuilles.

— Bravo, Abby! la félicite Mme Doris. Bon travail!

Abby essaie de sourire. Ce n'est pas parce qu'elle a terminé le test qu'elle a tout bon.

Mme Doris se dirige vers le tableau noir, sa longue jupe froufroutant autour de ses chevilles. Ses chaussures de tennis et ses socquettes ne sont pas aussi à la mode que les bottes de combat de Mme Élizabeth, mais Mme Doris les trouve confortables.

— Bon, maintenant, nous allons réviser nos mots de vocabulaire, annonce-t-elle. Est-ce que quelqu'un peut me faire une phrase avec « fragile »? Jessica?

Celle-ci se lève.

— L'environnement est très fragile, dit-elle.

— Très bien, dit Mme Doris. Le prochain mot, c'est « absolument ». Béthanie?

— La fête d'anniversaire de Brianna sera absolument géniale, dit celle-ci.

« La réponse de Béthanie est absolument évidente », songe Abby. Elle jette un coup d'œil du côté de Nathalie qui gribouille dans son cahier de sciences sociales. Elle regrette que B et B passent leur temps à parler de la fête. Chaque fois qu'elles reviennent sur le sujet, Nathalie paraît malheureuse.

— Abby? dit Mme Doris. Peux-tu me faire une phrase avec le mot « résistance »?

— Euh, oui!

Abby fixe le tableau noir. Voilà ce qui arrive quand elle manque d'attention pendant la classe. Elle espère que Mme Doris ne va pas envoyer un billet à ses parents pour s'en plaindre.

— Résistance, dit-elle lentement. Les parents ont trop de résistance quand il s'agit de donner de la liberté à leurs enfants.

— Très bien! commente Mme Doris en lui jetant un regard radieux.

Abby pousse un soupir de soulagement. Les choses s'arrangent parfois, même quand elle ne fait pas de gros efforts.

Si seulement les choses pouvaient se passer aussi simplement dans sa famille! Un bon matin, elle descendrait déjeuner et ses parents lui annonceraient qu'ils lui permettent d'aller au festival avec ses amies. Plus de lit à faire ou de baignoire à laver, ni de partie d'échecs contre Alex à endurer. Rien d'autre à prouver.

Ah! Pourquoi tout ne peut-il pas être aussi facile que de faire des phrases?

Chapitre 8

Faut-il que je le finisse, aussi?

Les choses que j'ai commencées, ces derniers jours :

sortir les ordures ménagères, trier bouteilles, boîtes en fer-blanc et cartons pour le recyclage, préparer le linge d'été pour l'entreposer au grenier, passer l'aspirateur dans le salon.

Les choses que j'ai terminées :

mes devoirs

Idée de costume n° 3 : le costume « Oups! j'ai oublié de me chercher un costume ». Y aller en tant que moi-même et agir comme si c'était une idée originale.

La reporter volante dans la cour d'école

Bulletin de dernière heure! Aujourd'hui, à la récréation, Abby H. a procédé à un sondage auprès de ses camarades de classe dans la cour de l'école. La question posée par notre journaliste investigatrice était la suivante :

« Quelles sont vos techniques préférées pour obtenir ce que vous voulez de vos parents? Faites-en part à vos camarades de cinquième année, s'il vous plaît. Il y va du bien de l'humanité. »

Vous trouverez ci-après les résultats de ce sondage.

Supplier, pleurnicher et faire la moue : 3 (extrêmement pénible pour les parents)

Hurler et piquer des crises : 1 (Cette technique peut se retourner contre la personne qui l'utilise.)

Argumenter : 12 (une majorité évidente)

S'enfermer dans sa chambre et bouder : 3 (pas toujours amusant)

Dire que tout le monde le fait, ou que tout le monde a telle ou telle chose : 7 (Les parents ne se laissent pas prendre par cet argument, mais nous l'utilisons tous quand même.)

Revenir à la charge constamment : 2 (Harceler les parents jusqu'à ce qu'ils finissent par céder exige une grande force de caractère.)

Saviez-vous que les élèves de cinquième année de Mme Doris avaient un aussi large éventail de talents? Chaque élève, sans exception, a appris à maîtriser toutes ces méthodes difficiles. Ces soi-disant « enfants » sont capables de passer d'une technique à l'autre à la vitesse de l'éclair. D'ailleurs, ces stratégies donnent souvent de meilleurs résultats si on les combine.

Brianna a expliqué sa version du K.O. en deux temps trois mouvements :

– Je commence par demander. Quand ça ne fonctionne pas, je fais la moue. Puis je pique une crise. Ça marche à tout coup.

Brianna (B pour Brillante) nous a alors fait la démonstration de sa moue. Indéniablement de niveau international. S'il y avait des Olympiques de la moue, Brianna récolterait la médaille d'or.

Dans ses discussions avec sa mère, Jessica a élevé les mots « pourquoi » et « parce que » à des sommets inégalés.

Lorsque Zach veut quelque chose, il en parle sans arrêt jusqu'à ce qu'il l'obtienne.

Béthanie nous a démontré comment ses grands yeux tristes et larmoyants peuvent, en une fraction de seconde, se renfrogner et projeter un regard furieux.

Seule Nathalie a avoué qu'aucune de ces méthodes ne fonctionnait dans son cas.

La journaliste investigatrice se demande en ce moment si elle devrait appliquer ces stratégies à sa propre situation. Devrait-elle essayer de miner la résistance de ses parents, de piquer une crise de hurlements ou de bouder pendant des heures pour obtenir la permission d'aller au festival toute seule? Hum! probablement pas. Aux yeux de Paul et d'Olivia Hayes, ces comportements manifesteraient bien peu de maturité.

Le jeudi est le jour de la semaine qu'Abby préfère entre tous. Si elle le pouvait, elle le colorerait en mauve. C'est celui où Mme Élizabeth donne son cours de création littéraire aux élèves de cinquième année de Mme Doris.

Rien ne pourra jamais transformer le jeudi en une mauvaise journée!

Aussitôt que Mme Élizabeth met le pied dans la classe, elle demande :

— Est-ce que tout le monde a écrit des haïkus?

— Oui! répond la classe.

— Mettons-les au tableau noir, propose Mme Élizabeth.

Elle porte aujourd'hui un pantalon aux jambes évasées en tissu gris brillant, surmonté d'une blouse perlée. De minces tiges d'argent ornées de boules en verroterie bleu et vert pendent autour de son cou. Abby a parfois du mal à croire qu'il s'agit d'une enseignante et non d'une camarade de classe d'Éva ou d'Isabelle.

— Est-ce que quelqu'un a écrit sur la nature? demande Mme Élizabeth.

Abby lève la main.

— J'ai écrit sur le Grand désastre de la baignoire, dit-elle. Un désastre, c'est naturel, pas vrai ? Le mien comportait beaucoup d'eau.

— D'accord, Abby, tu peux copier tes poèmes au tableau.

Après qu'elle a terminé, Brianna lève la main à son tour.

— Mme Élizabeth! Je parle du soccer dans mon haïku.

— J'ai écrit un poème sur Brianna, dit Béthanie. Un autre sur mon hamster.

Mme Élizabeth les invite à aller au tableau.

Ni la boue ni la pluie ne m'arrêtent.
C'est moi le capitaine.
Je suis la meilleure.

par Brianna

À côté d'elle, Béthanie écrit :

Couiic, couiic,
Le hamster tourne en rond dans sa roue.
Je passe la nuit blanche.

Je suis la meilleure amie de Brianna.
C'est elle la plus géniale
Ouais, Brianna.

Jessica se penche vers Abby.

— J'aime le poème que Béthanie a écrit sur son hamster, mais pas celui sur Brianna, chuchote-t-elle.

— Elle devrait peut-être interchanger les mots « hamster » et « Brianna », répond Abby à mi-voix.

Un à un, les élèves vont copier leurs poèmes au tableau, puis retournent à leur place.

Mme Élizabeth les lit au fur et à mesure, avec de grands signes de tête approbateurs.

— Il y a beaucoup de créativité dans cette classe, déclare-t-elle. Est-ce que quelqu'un veut faire des commentaires?

Brianna lève la main.

— Oui, Brianna?

Celle-ci éclate d'un petit rire nerveux.

— Le poème de Zach me plaît, dit-elle. C'est si... poétique!

Prenant une voix dramatique, elle le récite :

L'écran tremblote.

Les lumières clignotent.

Je suis heureux.

— Veux-tu nous parler de ton poème, Zach? demande Mme Élizabeth.

Zach se lève.

— Ça raconte ce qui arrive quand on met l'ordinateur en marche, explique-t-il.

Et il se rassoit.

— J'aimerais l'imprimer dans le bulletin de liaison de ma famille, dit Brianna.

Zach fait non de la tête.

— Pourquoi pas? veut savoir Brianna.

— Tu peux imprimer les miens, dit Béthanie.

Mais Brianna ne tient pas compte de l'offre de sa meilleure amie.

— Je veux celui de Zach!

— Non, dit Zach. Désolé.

Abby ouvre son journal.

Si Brianna mettait le poème de Zach dans le bulletin de liaison de sa famille, dirait-elle qu'il est son petit ami? Probablement. Je ne pense pas que Zach en serait trop content. Pas étonnant qu'il ait dit non.

Brianna va-t-elle bouder pour le forcer à lui donner son poème? Non. La bouderie, c'est bon pour les parents, pas pour les amis. Elle a l'air fâchée, pourtant.

Est-ce que Zach n'en a pas assez de penser, d'écrire et de parler continuellement « ordinateur »? Et pourquoi Brianna le trouve-t-elle tellement à son goût?

Nathalie pense que c'est à cause de ses yeux bleus et de ses cheveux blonds. Selon Jessica, c'est parce qu'il est le seul garçon de la classe à ne pas s'occuper d'elle. Et voilà que Béthanie commence à trouver Tyler à son goût, maintenant. Est-ce parce qu'il est le meilleur ami du garçon pour qui sa meilleure amie a le béguin?

Quand Mme Élizabeth a dit qu'il y avait beaucoup de créativité dans la classe, elle me regardait droit dans les yeux! Elle a dû aimer mes poèmes sur le Grand désastre de la baignoire!

<u>La liste des désirs d'Abby H.</u>

Je voudrais que Mme Élizabeth m'enseigne toutes les matières. (Même si j'aime bien Mme Doris, aussi.)

Je voudrais pouvoir écrire que je fais mon lit et que je range mes vêtements, au lieu de le faire.

Je voudrais me servir de l'écriture pour prouver à mes parents à quel point je suis mûre!

Je voudrais pouvoir écrire un costume pour la fête chez Brianna.

Peut-être que je devrais y aller déguisée en poème! Ha, ha! (Idée de costume n° 4.)

Après que tout le monde a fini de lire les poèmes, Mme Élizabeth les recueille.

— Nous allons en écrire d'autres, promet-elle. À la fin de l'année, nous choisirons notre meilleure composition et nous la mettrons dans un livre. Nous pourrons peut-être organiser une séance de poésie devant vos familles?

— Oh, oui! s'écrie Abby, en levant le poing pour marquer son accord.

Quelle belle occasion de briller devant les siens! Non seulement la création littéraire est sa matière forte et son cours préféré, mais en plus, c'est la prof qu'elle aime le plus qui l'enseigne. Dommage qu'elle soit obligée d'attendre au printemps pour que ce projet se réalise!

Chapitre 9

Ça, ce n'est pas tiré d'un calendrier. C'est un des adages préférés de ma mère. Je l'entends tout le temps!

Ma mère adore son travail. Dès l'âge de neuf ans, elle voulait devenir avocate. Papa adore son travail, lui aussi, même s'il avait plus de trente ans quand il l'a commencé.

(Y avait-il des ordinateurs personnels quand papa était petit? Il dit que non. Je me demande si Zach et Tyler se rendent compte de leur chance. S'ils étaient nés quelques années plus tôt, ils n'auraient pas eu d'ordinateurs. Qu'auraient-ils fait, alors?)

* * *

Si les adultes adorent leur travail, pourquoi le travail des enfants ne peut-il pas être amusant aussi?

Liste des tâches ménagères que j'aime faire :

Bon, d'accord. On oublie ça.

Mise à jour des nouvelles chez les Hayes

Ce soir, au souper, Isabelle Hayes nous a expliqué les notions de chèques et de soldes. (Remarque : Certains membres de la famille Hayes croyaient qu'elle parlait de comptes en banque, mais elle parlait, en fait, du gouvernement fédéral.)

Éva Hayes, capitaine de ses équipes de natation, de basketball et de crosse, a annoncé que ses trois équipes parraineraient une vente aux enchères pendant le festival.

Les familles et les entreprises vont offrir des prix. Olivia Hayes va donner une heure de conseils juridiques gratuits.

Voilà un prix qu'Abby aimerait bien gagner : elle aurait envie de poursuivre sa famille pour obtenir le droit d'aller au festival.

À seulement deux semaines du festival, Paul et Olivia Hayes n'ont pas encore pris de décision!!!

La famille Hayes sera très occupée cette fin de semaine :

Samedi, Olivia Hayes courra un marathon dans le cadre d'une levée de fonds pour les enfants malades.

Paul Hayes sera en dehors de la ville pour une affaire importante.

Isabelle Hayes participera à un débat, et Éva, à une compétition de natation.

Ce qui laisse Abby et Alex Hayes. Ces deux-là ne planifient aucune activité particulière.

Olivia Hayes doit trouver quelqu'un pour les garder.

Ce soir-là, Abby aide sa mère à remplir le lave-vaisselle.

— Wow! s'écrie-t-elle tout à coup.

Une idée géniale vient de surgir dans sa tête, si soudainement qu'elle en échappe presque une assiette.

Dans l'échelle des idées géniales, il ne s'agit pas, ici, d'une petite secousse de force un ou deux. Ni d'un remue-méninges faiblard et délicat de type orage électrique. Non, l'idée qui vient de la frapper est une tornade déferlante de force dix, qui souffle en violentes rafales et balaie tout sur son passage.

— Maman, j'ai trouvé la solution à tous tes problèmes!

— Quoi donc?

— Comme je n'ai pas de partie de soccer en fin de semaine, je peux garder Alex, samedi.

— Toi, Abby?

— Oui, moi. J'ai dix ans et je suis en cinquième année, déclare Abby, comme si sa mère ne le savait pas.

Bien sûr qu'elle le sait, mais ce n'est pas mauvais de le lui rappeler à l'occasion.

— Si je m'occupe d'Alex, tu n'auras pas besoin de trouver quelqu'un pour nous garder.

Maman jette un regard pensif sur sa fille.

— Tu penses pouvoir le faire? Tu devras le surveiller, lui trouver des distractions et le nourrir tout l'après-midi. Pas question de lâcher ton travail si tu es fatiguée, ou agacée.

— Je ne lâcherai pas, dit Abby. Est-ce que je ne suis pas habituée à jouer avec Alex? S'il fait beau, je préparerai des sandwiches au beurre d'arachides et à la confiture, et nous irons pique-niquer au parc. En cas de mauvais temps, nous ferons des activités à la maison.

— Tu vas le surveiller bien comme il faut?

— Maman! Je connais les règles de sécurité. Je ne répondrai pas à la porte si ça sonne. Je ne dirai pas à des étrangers que nous sommes seuls à la maison. Je vais m'assurer qu'Alex ne joue pas avec des allumettes, qu'il n'utilise pas la cuisinière et qu'il ne traverse pas la rue tout seul.

À cet instant, papa entre dans la cuisine avec une tasse de café.

— Qu'en penses-tu, Paul? demande maman. Devrions-nous permettre à Abby de garder Alex, samedi?

Abby retient son souffle. Papa boit une gorgée de café.

— De garder Alex toute seule? fait-il.

— Je pourrai me rapporter aux voisins, dit Abby. Et je peux appeler la mère de Jessica si j'ai besoin d'aide.

— Ce n'est pas une mauvaise idée, dit papa. Combien demandes-tu pour tes services?

Abby réfléchit un moment.

— Un dollar cinquante de l'heure. C'est ce que reçoit Jessica quand elle garde les enfants de sa voisine.

— Quelle aubaine! dit papa en lui faisant un clin d'œil.

Sa mère fait oui de la tête.

— Et si j'ai assez de maturité pour garder Alex, vous allez devoir me laisser aller au festival avec mes amies, s'empresse-t-elle d'ajouter.

Ses parents échangent un regard.

— Ça me paraît acceptable, dit papa.

— Alors, c'est entendu, enchaîne maman. Marché conclu.

Hourra! Hourra! Finies, les horribles tâches ménagères! Finis, les Grands désastres de la baignoire! Fini, le creusage de cervelle pour prouver que je suis fiable et mûre. Je vais garder mon frérot et obtenir la permission d'aller au festival. ET être payée, en plus!

Le plan E sera Excellent, Exceptionnel, et Exactement ce qu'il faut.

Les activités que je promets de faire avec Alex le jour où je vais le garder

Du patin à roues alignées, du vélo et un pique-nique au parc (s'il ne fait pas trop froid), et aussi des jeux d'ordinateur et des parties d'échecs. Je lui lirai à haute voix ses livres préférés, aussi longtemps qu'il le voudra, et je le laisserai jouer avec tous mes calendriers (il aura le droit de les décrocher du mur).

– Ah bon... dit mon frère.

Alex Hayes ne me facilite pas la tâche.

Ce n'est pas juste.

* * *

Je finis par lui proposer :

– On fera des carrés au chocolat ensemble. On les couvrira de crème glacée et de sauce au chocolat, puis on les décorera de cerises, de noix et de bonbons au chocolat.

– D'accord, dit Alex. Tu gagnes.

– Je veux seulement que nous ayons du plaisir ensemble.

Est-ce à ça que ça ressemble d'être parent? Argumenter ainsi, ça épuise! Ce n'est pas surprenant que les mères et les pères soient toujours si fatigués!

Alex et moi, nous allons nous amuser ensemble. Mes parents seront reconnaissants. Je vais gagner des sous et aller au festival avec mes amies.

(À répéter cent fois à l'aube, au crépuscule et à minuit.)

Chapitre 10

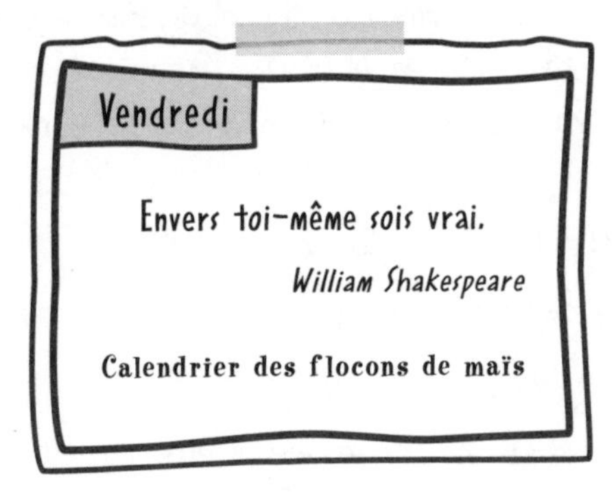

Ce n'est pas sérieux! C'est impossible d'être vrai envers soi-même quand on a dix ans. Il faut faire les quatre volontés de tout le monde ou avoir de graves problèmes.

Idées de costume n° 5, n° 6, n° 7 et n° 8 : me déguiser en zéro. Me déguiser en record mondial. Me déguiser en disque d'or (ou en compagnie de disques). Me déguiser en ampoule électrique (pour trouver des idées). Me déguiser en... (oh! va chercher une collation!)

Nouvelle catégorie pour le Livre Hayes des records du monde : la personne qui a le plus d'idées de costumes pour la fête d'anniversaire de Brianna.

Et une autre : la personne qui rejette le plus d'idées de costumes pour la fête d'anniversaire de Brianna.

Ce que je fais pour me préparer à garder Alex en fin de semaine

J'ai caché le mélange à carrés au chocolat, pour que personne ne l'utilise avant demain.

J'ai poussé la crème glacée au fond du congélateur pour qu'Isabelle ne la mange pas, ce soir.

J'ai trouvé les cerises, la crème fouettée et les noix, et je les ai cachées.

J'ai rassemblé, dans un seul tas, patins à roues alignées, casques, protecteurs de genoux et de poignets.

J'ai déverrouillé le cadenas des vélos.

Je me suis mise à sucer des pastilles pour la gorge : mes cordes vocales doivent être en grande forme en vue de la séance de lecture ininterrompue.

Je fais des pompes et des flexions de genoux.

Je profite de chaque occasion pour appeler mon frérot : « Alex chéri ». Je lui ébouriffe les cheveux et je lui souris souvent.

La journée d'école tire à sa fin. Les élèves de cinquième année de Mme Doris enfilent leur blouson, prennent leur sac à dos et forment une file devant la porte.

— Hé! Arrête de me pousser, dit Tyler à Zach.

— Ce n'est pas moi! proteste Zach.

Béthanie pouffe de rire. Elle porte un pull en mouton blanc et une courte jupe brodée.

— C'est moi, avoue-t-elle. J'ai foncé sur toi sans faire exprès. Je m'excuse.

— Oh, dit Tyler en jouant distraitement avec une bretelle de son sac. Heu... il y a une chose que je voulais te demander. Comment s'appelle ton hamster?

— Blondie, répond Béthanie. Tu aimes les hamsters?

— Oui, dit Tyler. Leur poil est tout doux.

Béthanie y va d'un autre petit rire.

— Qu'est-ce que tu fais après l'école?

Mais Brianna, qui porte une veste bleu pâle sur une jupe rouge foncé, s'interpose :

— Tu as promis de venir chez moi. On doit discuter des arrangements pour la fête. La cinquième année au grand complet va venir.

À l'arrière de la file, Abby donne un petit coup de coude à Nathalie.

— Brianna sait-elle que tu n'y seras pas? demande-t-elle en chuchotant.

— Non, répond Nathalie sur le même ton. J'espère

toujours que mes parents vont changer d'idée.

— Et s'ils ne changent pas d'idée, qu'est-ce que tu vas faire? demande Jessica.

— Je vais faire semblant d'être malade, dit Nathalie.

Abby remonte la fermeture éclair de son blouson. Comme elle souhaiterait que Nathalie puisse aller à la fête! Ce n'est tout simplement pas juste!

— Invente-toi une bonne maladie, conseille-t-elle à son amie. Tu pourrais peut-être attraper la frénésie des éclairs mauves, un mal qui te pousse à lire les livres d'Harry Potter à répétition.

Nathalie passe les mains dans sa courte chevelure noire en souriant.

— C'est exactement ça que je vais faire ce jour-là : lire mes Harry Potter.

— Est-ce que quelqu'un a mentionné Harry Potter? demande Zach. Je viens de commencer le premier livre. C'est super!

— C'est moi! dit Nathalie.

— Les as-tu tous lus?

— Quatorze fois chacun, répond-elle.

— Super! dit-il.

La cloche sonne. Finie l'école pour cette semaine. Les élèves de cinquième année se ruent dans le corridor.

— Un à la fois! intervient Mme Doris. Doucement.

Debout à la porte, l'enseignante salue les élèves, un par

un, à mesure qu'ils quittent la classe.

— Passe une excellente fin de semaine! souhaite-t-elle à Abby.

— Je garde mon petit frère tout l'après-midi, samedi.

— Une grosse responsabilité, commente Mme Doris.

— J'en suis capable, affirme Abby.

Tandis que les élèves de cinquième se dispersent sur le terrain de jeux, Brianna rassemble autour d'elle une partie de ses camarades de classe.

— Est-ce que tout le monde a trouvé une idée de costume? veut-elle savoir. Il ne reste que neuf jours avant la fête.

— Non, dit Abby, en enfonçant son chapeau sur sa tête.

Le temps s'est rafraîchi depuis le matin. Abby déteste voir les jours devenir plus frisquets. Elle préfère quand ils se réchauffent.

Brianna se tourne vers Zach et Tyler.

— Et vous deux?

— Moi, je ne dis rien, répond Zach.

— Pareil pour moi, enchaîne Tyler.

— Nathalie, dit Brianna, j'espère que tu prépares quelque chose de bien. Tu n'es jamais venue à une de mes fêtes. Tu vas voir, ça va être amusant.

Nathalie se balance sur un pied, puis sur l'autre.

— Je mijote quelque chose de spécial, marmonne-t-elle.

— Comme quoi? insiste Béthanie. Dis-nous-le.

— C'est un... un...

Nathalie fouille le terrain de jeux d'un œil anxieux.

— C'est... c'est...

— C'est un costume en trois parties, intervient Jessica. Nathalie va venir avec Abby et moi. Nous allons être...

— Trois maillons d'une chaîne, complète Abby.

Brianna paraît mystifiée.

— Trois maillons d'une chaîne? fait-elle. C'est quelle sorte de costume ça?

— C'est juste une farce, dit Abby. En fait, nous allons nous déguiser en couteau, en fourchette et en cuillère.

C'est la première chose qui lui est venue aux lèvres. Elle n'y a pas du tout réfléchi.

— C'est amusant, commente Béthanie.

— Et facile à faire, en plus, enchaîne Abby.

À bien y penser, l'idée n'est pas mauvaise.

— La seule chose, c'est que ça prend beaucoup de papier d'aluminium et de ruban adhésif. Il faut aussi un peu de carton.

— Je vais passer la fin de semaine à préparer mon costume, dit Brianna. Je parie que tout le monde va en faire autant.

Nathalie s'efforce de sourire.

— Moi, oui, en tout cas, gazouille Béthanie. Vive la fête chez Brianna!

Sur le chemin du retour à la maison, Nathalie remercie Abby et Jessica de ne pas avoir trahi son secret.

— Mais qu'est-ce que Brianna va dire quand elle verra que je ne suis pas là? demande-t-elle avec inquiétude. Elle s'attend à voir apparaître un couteau, une fourchette et une cuillère. Comment va-t-elle réagir s'il n'y a que le couteau et la cuillère?

— Je lui expliquerai qu'on a oublié de te laver, dit Abby. On t'a oubliée au fond de l'évier.

Nathalie éclate de rire.

— De toute façon, on ne sera peut-être même pas des ustensiles. On pourrait surprendre tout le monde en trouvant une autre idée.

— Je veux être une cuillère, dit Jessica. J'en ai assez de toujours me déguiser en astronaute ou en extraterrestre. C'est trop évident.

— D'accord, approuve Abby. Je serai le couteau.

Ouf! Voilà son problème de déguisement solutionné – enfin!

— J'aimerais que tu puisses venir, dit Jessica à Nathalie.

— D'ailleurs, on a besoin de toi, enchaîne Abby. Sans la fourchette, la cuillère et le couteau ne sont bons qu'à manger du pouding.

Avec ses pieds, Nathalie pousse les feuilles mortes qui

recouvrent le trottoir.

— Je vais dire ça à mes parents, blague-t-elle. Ça les convaincra.

Elles arrivent à la maison de Jessica.

— Vous restez quelques minutes? demande celle-ci.

Elles s'assoient sur les marches du perron. Jessica offre à ses amies des morceaux de sa tablette de chocolat, qu'elles mâchent en regardant passer d'autres jeunes qui rentrent de l'école. Abby sort son journal.

Si Brianna apprend que les parents de Nathalie ne lui permettent pas d'aller à sa fête, elle se vantera d'avoir les meilleurs parents de toute la cinquième année. Brianna a le don de tout transformer en fanfaronnade. Combien d'années de dur labeur et de sacrifice a-t-elle consacrées à développer ce talent?

Je vais créer une nouvelle catégorie dans le Livre Hayes des records du monde. Une catégorie pour Nathalie : l'élève de cinquième année qui a lu le plus de livres d'Harry Potter.

Est-ce que ça la consolera de ne pas aller à la fête?

Je ne pense pas.

Chapitre 11

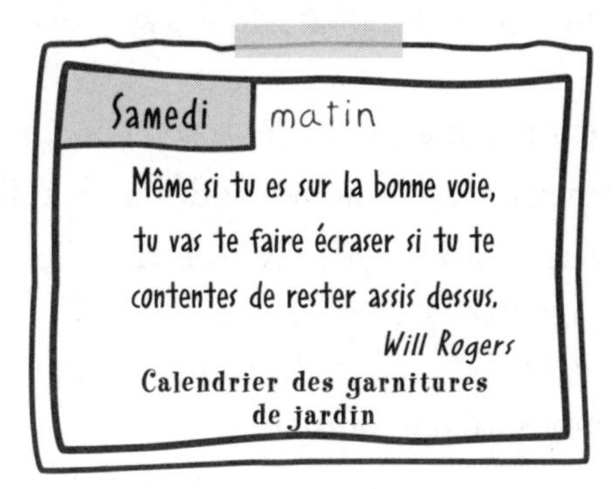

Aucun risque de me faire écraser : je n'aurai pas le temps de m'asseoir pendant ma journée de gardiennage.

Le plan E est le plan pour En finir une fois pour toutes avec les plans. Alex et moi passerons une journée Excitante, Énergisante et bourrée d'Événements intéressants, ce qui convaincra mes parents que je suis une fille de dix ans Extrêmement mûre et responsable.

Tout va bien se passer. Mes parents seront enchantés. Je tomberai d'épuisement, mais ça ne fait rien, car le festival a lieu la semaine prochaine!!!

La mère d'Abby attache ses clés à la ceinture de son short. Elle enfile un chandail en molleton, prend sa bouteille d'eau et répète pour la centième fois :

— Bon, tu sais quoi faire, n'est-ce pas, Abby?

— Oui, maman, répète Abby. Pour toute urgence ou si

j'ai une question à poser, je téléphone aux voisins ou à la mère de Jessica. Je ne dis à personne que toi et papa êtes partis, et je ne réponds pas si ça sonne à la porte.

— Parfait, dit sa mère. Prends bien soin d'Alex,

verrouille la porte si vous sortez et ne te sers pas de la cuisinière.

— D'accord, maman.

Abby a confectionné les carrés au chocolat ce matin. Il ne reste plus qu'à y ajouter la crème glacée, la crème fouettée et les cerises. Mais ça, c'est pour la fin de l'après-midi. Elle aura ainsi une récompense à promettre à Alex s'il se comporte bien. C'est Jessica qui lui a donné ce truc de gardienne.

— Et toi, Alex, dit maman, tu dois coopérer avec Abby. Rappelle-toi : c'est elle qui est responsable de toi.

— Oui, oui.

— Je te promets un après-midi du tonnerre, Alex ! dit Abby en lui entourant l'épaule de son bras. J'ai planifié un tas d'activités stimulantes.

— Mettez vos blousons si vous allez au parc, ajoute maman en souriant. Abby, tu peux faire des sandwiches au beurre d'arachides et à la confiture pour dîner, n'est-ce pas?

— Maman! proteste Abby, je suis une experte en beurre d'arachides et en confiture.

Leur mère les embrasse rapidement l'un après l'autre.

— Soyez sages, dit-elle.

— Gagne la course! dit Abby.

— Ramasse beaucoup d'argent pour les enfants malades, ajoute Alex.

Maman jette un œil à sa montre.

— Faut que je file! dit-elle en riant. Et cette fois, j'y vais pour vrai.

Sa mère sortie, Abby verrouille la porte derrière elle. Puis elle se tourne vers son jeune frère.

— Nous sommes rien que tous les deux, maintenant, Alex. Par quoi veux-tu commencer? Une partie d'échecs? Une randonnée à vélo? Une promenade en patins à roues alignées? Ou un tour au parc?

— Je veux dîner.

Alex lorgne vers sa sœur, pas trop certain de sa réaction. Au moins, il ne pleurniche pas pour avoir Éva ou Isabelle comme gardiennes.

— Ensuite, je veux aller au parc. Puis après, je veux jouer aux échecs. Et après ça, aux jeux d'ordinateur.

— Tout ce que tu voudras, promet Abby.

Son cœur bat très fort. Ça fait un million de fois qu'elle joue avec Alex, mais là, c'est bien différent : pour la première fois, elle a la charge de son frère et elle est responsable de ce qui lui arrive.

Quarante-cinq minutes plus tard, ils sont au parc, et Abby pousse Alex dans une balançoire.

Alex était bien tranquille, au début, mais là, il s'amuse ferme.

— Pousse plus fort! crie-t-il. Plus haut!

Abby s'exécute avec toute son énergie. Alex s'élance très haut par en avant, puis par en arrière.

— Je vole! s'écrie-t-il.

Sa sœur continue de pousser, de pousser, et de pousser encore, jusqu'à en avoir les bras fatigués. Mais elle ne se plaint pas. Jusqu'ici, tout va bien. Alex et elles ont dégusté leurs sandwiches ensemble, puis ils ont nettoyé la cuisine. Ensuite, ils ont marché jusqu'au parc.

Jusqu'à ce qu'elle décide d'aller au festival avec ses amies, Alex a toujours affirmé qu'Abby était sa sœur préférée. Celle-ci sait bien qu'elle l'a blessé en le désertant.

Aujourd'hui, elle va s'arranger pour le compenser de tout cela. Ils vont passer, tous les deux ensemble, une journée inoubliable.

— Ça, c'était bien, dit-il en quittant la balançoire. Là, qu'est-ce qu'on va faire?

— Un petit tour dans la cage à grimper?

— Ouiii! s'écrie le garçon en y entraînant sa soeur. Je parie que tu n'es pas capable de te tenir la tête en bas.

— C'est ce que tu penses! répond Abby. Attends, voir!

Alex se hisse prestement jusqu'à la plus haute barre et s'y suspend à la manière des koalas. Il met sa sœur au défi :

— Es-tu capable de faire ça?

Abby se suspend par les genoux.

— Et toi, es-tu capable de faire ça?

— Oui! crie Alex.

Il se laisse tomber, tête en bas, puis se hisse en position assise sur la plus haute barre. Abby monte à côté de lui.

— Je m'amuse bien, dit Alex.

Abby sourit. Elle a hâte que ses parents apprennent quel bon moment ils ont passé ensemble! Qu'ils voient la cuisine briller comme un sous neuf! Elle a même essuyé les comptoirs. Elle a hâte qu'ils sachent comme elle s'est bien occupée d'Alex! Oui, le festival, c'est dans la poche! Rien ne va plus pouvoir l'empêcher d'y aller.

Elle saute en bas de la cage à grimper.

— Allons à la glissoire, crie-t-elle. On fait la course! Allez! À vos marques, prêts, partez!

Poussant un cri d'excitation, elle s'élance à travers le gazon. Après toutes ces semaines à s'entraîner et à jouer au soccer, elle se sent en pleine forme.

— Je vais te battre! s'écrie-t-elle. Je suis plus rapide, plus forte et meilleure que toi!

— Pas du tout! rétorque Alex. C'est moi le meilleur, et je vais gagner!

Effectivement, il est en train de la rattraper. Pour un élève de deuxième année qui passe le plus clair de son temps devant l'ordinateur, il court drôlement vite. Mais bien sûr, même au meilleur de sa forme, Abby n'est pas tellement rapide pour une élève de cinquième année. La pratique du soccer a amélioré sa vitesse, mais pas tant que ça.

Alex a peut-être hérité de l'intelligence d'Isabelle et des gènes sportifs d'Éva. « Heureusement qu'il est plus jeune que moi! songe Abby. Il ne me manquerait plus que ça : avoir un super grand frère, génial à l'école et brillant dans les sports. »

Alex la dépasse en courant à toutes jambes.

— Tu ne peux pas m'arrêter! dit-il en agitant les bras.

— Je vais te rattraper!

Alex accélère encore la cadence, tournant la tête pour voir si Abby se rapproche.

— Je vais t'avoir! hurle Abby, qui se défonce pour aller encore plus vite.

— Non ! Jamais! rétorque Alex.

Poussant un cri sauvage, il bondit par en avant et frappe la glissoire de plein fouet.

Abby pense d'abord que son frère va se retrouver avec une belle bosse sur le front. Ça lui est arrivé des centaines de fois.

Mais, lorsqu'il se retourne vers elle en se tenant le visage à deux mains, elle aperçoit le sang qui lui coule entre les doigts.

Il y en a partout! Elle se précipite vers Alex, le cœur battant à l'épouvante.

— Est-ce que ça va? s'écrie-t-elle. Est-ce que ça va, Alex?

— Non! hurle-t-il en se tenant le front. Non!

Elle retire son foulard et le presse solidement contre la tête de son frère. Son foulard s'imbibe aussitôt de sang.

— Je veux maman! gémit-il.

— D'accord, on va la chercher. Et ça va aller, promet Abby.

Pourvu que ce soit vrai! Elle espère de tout son cœur que ça va aller.

— D'accord, on va chercher maman, répète-t-elle.

Mais elle ne sait trop où. À l'heure qu'il est, sa mère est en train de courir le marathon autour d'un lac, à cinquante kilomètres de la ville.

Abby promène un regard frénétique alentour, à la recherche d'un adulte. Mais elle n'en voit aucun dans les parages; seulement quelques enfants qui se balancent.

La peur l'étourdit. Où est le téléphone? Devrait-elle appeler l'ambulance? Elle essaie de se souvenir de ce qu'elle a appris au camp d'été sur les blessures. S'il s'agit d'une artère – non, impossible, il n'y a pas d'artères sur le front. Alex peut-il s'évanouir à force de perdre du sang? Ou alors mourir? Il y en a tellement!

Jessica... Elle habite à une rue de là et sa mère est à la maison. Celle-ci pourra les aider.

— Es-tu capable de marcher, Alex? demande-t-elle d'une voix tremblante.

En guise de réponse, le garçon hurle encore plus fort :

— Maman! Maman!

Alors, elle lui saisit le bras et l'entraîne vers la rue. Elle ne peut pas le laisser là, tout seul, et elle doit lui trouver de l'aide.

— On s'en va chez la maman de Jessica, lui dit-elle d'une voix forte. Elle saura quoi faire.

Quelques minutes plus tard, le frère et la sœur gravissent tant bien que mal les marches menant à la porte de Jessica. Une traînée de sang marque leur parcours, sur le trottoir, dans l'escalier... Abby appuie sur la sonnette aussi fort qu'elle le peut.

— Qu'est-ce...? commence la mère de Jessica en

ouvrant la porte.

Abby désigne son frère et éclate en sanglots.

Un seul coup d'œil à Alex lui suffit, et la maman de Jessica attrape ses clés de voiture sur l'étagère près de la porte.

— Jessica! crie-t-elle. Dans la voiture, vous deux! ordonne-t-elle à Alex et à Abby. On file à l'urgence!

Dans la voiture, Abby tient la main d'Alex. « S'il s'en sort, pense-t-elle, jamais plus je ne me fâcherai contre lui, même s'il gagne soixante-dix parties d'échecs d'affilée. Je l'emmènerai au festival et je ferai ses quatre volontés. Et je ne me plaindrai plus jamais du fait qu'il veut tout faire avec Jessica et moi. »

Elle ne s'en est pas bien occupé, au parc. Jamais elle n'aurait dû courser contre lui. Ou essayer de le battre. S'il s'en sort sans trop de dommage, elle le laissera gagner à n'importe quel jeu pour le reste de sa vie.

— Excuse-moi, Alex, murmure-t-elle. Je suis vraiment désolée.

Chapitre 12

Je vous dis que ce n'est pas l'expérience qui me manque! J'en ai même trop, si vous voulez savoir.

Le nombre de points de suture qu'Alex a dû se faire faire à l'urgence : 14

Le nombre de fois que j'ai dit : « Tout est de ma faute! » : 500 par minute.

Le nombre de fois que la mère de Jessica a essayé de me convaincre que ça ne l'était pas : à peu près le même.

Le nombre de fois que je l'ai crue : 0.

Le nombre de boules de crème glacée mangées par Alex Hayes quand il a en a eu fini avec les points de suture : 3 grosses.

Le nombre de boules de crème glacée mangées par Abby Hayes : 0.

(Remarque : D'un point de vue historique, c'est la première fois de ma vie que je refuse de manger de la crème glacée. Mais j'avais l'estomac si barbouillé que j'avais peur de vomir.)

E, c'est pour État d'urgence. J'aurais pourtant dû le savoir! Et aussi pour Échec! Ce qui nous amène à F, pour Fichu le Festival!

Manquer le festival, c'est le dernier de mes soucis! Mes parents ne me feront plus jamais confiance! Je pourrai me compter chanceuse s'ils me laissent me rendre à l'école toute seule! Ou rouler à vélo autour du pâté de maisons!

Je suis peut-être une Menace pour l'Humanité. Dans l'intérêt de la sécurité publique, je devrais m'enfermer dans ma chambre pour le reste de mes jours.

Au moins, Alex va bien s'en sortir (HOURRA!!!!). Il a réussi à survivre à ce qui sera probablement le seul emploi de gardienne que j'aurai jamais décroché.

Quand on est revenus à la maison, je lui ai fait changer ses vêtements et j'ai mis les sales au lavage. Mon foulard est ruiné, mais je m'en fiche pas mal!

* * *

Ma mère n'est pas encore rentrée. Jessica et sa maman sont dans le salon, et elles jouent à des jeux de société avec Alex. Elles vont attendre avec nous le retour de maman.

– Je sais que vous ne me faites pas confiance et que vous ne voulez pas me laisser seule avec Alex. Je ne vous blâme pas.

– Ce n'est pas ça du tout, a protesté la maman de Jessica. Tu es trop bouleversée pour qu'on te laisse toute seule. Je ne voudrais pas rester seule après avoir conduit mon petit frère à l'urgence.

Nouvelle catégorie à ajouter au Livre Hayes des records du monde : celle de la personne la plus gentille à avoir auprès de soi en cas d'urgence. La maman de Jessica.

Que fera ma mère en entrant dans la maison?

Mes prédictions sur ce qui va se passer :

1. Ma mère va perdre connaissance.

2. Ma mère va crier, pleurer et hurler.

3. Ma mère va me priver de tous mes privilèges pour le reste de ma vie. Mon père et elle vont me mettre au pain et à l'eau. Je vivrai seule dans la cellule de prison que sera devenue ma chambre. Pour toute consolation, j'aurai mes calendriers, qui m'aideront aussi à compter les jours.

Ce qui arrivera probablement :

1. Ma mère va être très déçue de moi.

2. Ma mère va être très fâchée contre moi.

3. Je vais être privée de sorties pour deux semaines.

4. Je n'irai ni au festival ni à la fête d'anniversaire de Brianna.

Vous pensez que ça me fait quelque chose de manquer le festival ou la fête de Brianna? Eh bien, *NON!* Toutes ces préoccupations ont été évacuées de mon système, comme si un aspirateur était venu me vider le corps.

J'entends une voiture. Ça pourrait être ma mère.

C'est ma mère...

Je voudrais avoir des ailes et m'envoler au loin.

Je voudrais avoir une cape d'invisibilité et disparaître à l'intérieur.

Je voudrais avoir le pouvoir de me métamorphoser, pour devenir un chien ou un hamster pendant quelques heures, le temps que ma mère se calme.

Je voudrais être en train de jouer dans un conte de fées, pour que cette histoire finisse bien et que les héros soient heureux pour toujours.

La mère d'Abby entre dans la maison et aperçoit Alex, Jessica et sa maman dans le salon.

— Où est Abby? s'écrie-t-elle. Est-ce qu'elle va bien? J'ai senti qu'il se passait quelque chose!

La maman de Jessica désigne le front d'Alex.

— Il a eu un accident, explique-t-elle. Nous l'avons conduit à l'urgence. Il a eu besoin de quelques points de suture, mais il va bien maintenant.

— Abby! appelle maman.

La jeune fille sort lentement de sa cachette, derrière la porte.

Maman a pris Alex sur ses genoux. Jessica et sa mère sont par terre devant un jeu de société, mais elles ne jouent pas vraiment.

— Ah! te voilà, Abby, dit maman, d'une voix qui ne semble pas trop en colère. Je suis contente de te voir. Dis-moi donc ce qui s'est passé.

Alors, Abby lui raconte tout dans les moindres détails. Puis elle s'attend au pire.

Je n'en reviens toujours pas, j'arrive à peine à l'écrire. Ma mère m'a remerciée d'avoir gardé la tête froide dans une situation d'urgence.

(La tête froide? Ça m'a plutôt donné l'impression d'un mélange d'œufs en train de se faire brasser en omelette.)

Elle a dit que j'avais fait exactement ce qu'il fallait.

– Mais c'était de ma faute! me suis-je écriée. Si je n'avais pas été en train de courser avec Alex, il ne se serait pas frappé la tête contre la glissoire!

– Combien de fois as-tu fait la course avec Alex? m'a demandé ma mère d'une voix calme.

La chaleur me montait au visage. Je n'ai pas répondu.

– Des millions de fois, je parie, a dit ma mère.

– Ouais, je pense bien.

– Et combien de fois a-t-il frappé une glissoire en courant?

– Une seule fois, ai-je reconnu.

– Donc, tu ne pouvais pas savoir à l'avance qu'il se frapperait la tête si tu coursais avec lui, a conclu ma mère d'un ton dramatique.

Je vois pourquoi ma mère a du succès comme avocate. Une logique implacable et une bonne technique d'interrogation.

Elle a dit qu'elle était contente que tout le monde s'en soit sorti. Elle a dit que d'aller à la maison de Jessica était exactement ce qu'il fallait faire et que j'avais manifesté un bon jugement. « Presque tous les jeunes se font faire des points de suture, à un moment

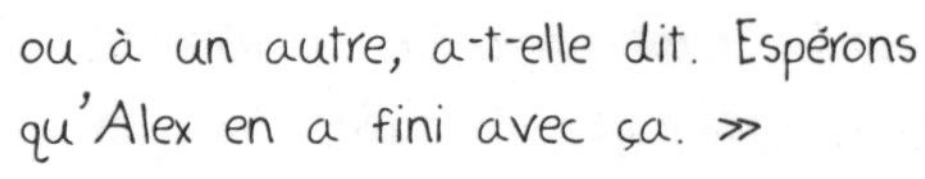

ou à un autre, a-t-elle dit. Espérons qu'Alex en a fini avec ça. »

(Est-ce que les points de suture sont comme la varicelle? Ça m'étonnerait.)

– Le docteur a dit que j'étais le garçon de sept ans le plus brave qu'il a jamais vu! se vante Alex.

J'étais contente d'entendre mon frère de sept ans fanfaronner. Ça ne faisait pas du tout m'as-tu vu, comme lorsque Brianna se vante. Dans sa bouche à lui, ça exprimait la santé et la joie de vivre.

– À l'âge de quatre ans, nous a raconté ma mère, j'avais cette manie de sauter du haut des tables. Résultat : je me suis cassé le bras une fois et la jambe deux fois. En plus, je suis passée à travers la porte arrière, chez nous, et on a dû me faire des points de suture.

Ma mère a gardé Jessica et sa maman à souper. On a fait du spaghetti et une salade, et, pour dessert, on a servi les carrés au chocolat avec de la crème glacée (encore!). Cette fois, j'ai tout dévoré.

Est-ce que c'est un conte de fées? L'histoire finit bien et les héros sont heureux. Selon moi, en tout cas. Il est arrivé tellement de choses aujourd'hui que je suis épuisée. Je veux dormir très longtemps.

P.-S. : C'est bel et bien vrai que nous avons passé un après-midi inoubliable, Alex et moi!

Chapitre 13

Je préfère avoir Mme Élizabeth comme prof! Ou Mme Doris, ou un de mes parents, ou même une de mes super grandes sœurs.

Ce que m'a appris l'accident d'Alex :

La vue du sang me rend malade.

Il ne faut jamais faire la course dans un parc, à moins qu'un adulte soit dans les parages.

Il faut toujours rappeler à Alex de regarder où il va.

Les parents sont imprévisibles. Ils se mettent en colère si tu as le malheur d'oublier des crayons feutres dans ta poche de jean avant de l'envoyer au lavage et pour d'autres stupidités du genre.

Mais, quand il s'agit de quelque chose de vraiment important, comme d'un accident, de sang ou de points de suture, ils sont compréhensifs et ils gardent leur sang-froid. (Tous les parents réagissent-ils de la même manière à des situations pareilles? Ou est-ce que j'ai été chanceuse, tout simplement? Je ne vais pas tester cette hypothèse!)

C'EST AUJOURD'HUI QU'A LIEU LE FESTIVAL! J'AI LA PERMISSION D'Y ALLER À VÉLO AVEC JESSICA! J'AI HUIT DOLLARS À DÉPENSER! HOURRA!

La fin de semaine s'annonce excitante. D'abord, à cause du festival. Puis, demain matin, Jessica et moi allons fabriquer nos costumes pour la fête chez Brianna. Nathalie va nous aider. Ensuite, elle s'en ira chez elle où elle sera subitement victime d'une attaque de fièvre galopante, de mangoustine picotée ou de frénésie des éclairs mauves, ce qui l'obligera à annuler son apparition en tant que fourchette à la mégaboum d'anniversaire de Brianna.

— Il y aura dans ta vie une personne inconnue de grande taille et au teint bronzé, prédit Isabelle à Abby.

Elles sont dans le hall d'entrée de la maison. Déguisée en diseuse de bonne aventure, Isabelle porte une longue jupe en velours et une blouse rouge brodée, surmontée d'une veste argentée. Un maquillage criard, des boucles d'oreilles en or et des ongles fraîchement peints du même rouge que sa blouse complètent son accoutrement.

— Quand ça? veut savoir Abby.

La sonnette de la porte retentit alors et Alex se précipite pour aller ouvrir.

— C'est Jessica! annonce-t-il. Elle a son vélo! C'est l'heure de partir pour le festival!

— Ma prédiction se réalise, murmure Isabelle, en prenant une voix mystérieuse.

— Jessica est grande, elle a le teint foncé, mais ce n'est pas une inconnue, blague Abby.

— Deux sur trois, ce n'est pas mal, quand même, dit Isabelle. Je parie que bien des diseuses de bonne aventure ne tombent pas souvent aussi juste.

Jessica essuie ses pieds sur le tapis de l'entrée. Elle porte un jean évasé, un gros chandail en duvet, ainsi que des bas et des gants rayés aux couleurs de l'arc-en-ciel. Son casque protecteur pend à son bras.

— J'aime ton costume, Isabelle, dit-elle.

Celle-ci saisit la main de Jessica.

— Pour ces gentilles paroles, dit-elle, je vais te dire la bonne aventure gratuitement.

Elle passe le doigt sur le gant tricoté de Jessica.

— Je vois du rouge... Je vois du bleu... Tu auras une vie très colorée, conclut-elle.

— Oh là là! dit Jessica. Qu'est-ce que ç'aurait été si j'avais mis mes mitaines blanches?

Abby attache ses lacets de souliers avec de multiples nœuds pour éviter qu'ils s'emmêlent dans les leviers de vitesse de son vélo. Elle vérifie que son argent est bien dans ses poches. Puis elle prend son casque protecteur et en ajuste les courroies.

— Est-ce qu'on t'a déjà enlevé tes points de suture? demande Jessica à Alex.

— Oui! répond le garçon en lui montrant son front.

— Dis donc! C'est tout une cicatrice que tu as là! fait Jessica, admirative.

— Tous les élèves de deuxième année en sont jaloux, dit Abby en faisant cliquer les attaches de son casque. Personne, dans toute l'école élémentaire Lancaster, n'a une cicatrice aussi redoutable.

Alex bondit, en prenant une pose de karatéka.

— Je me suis fait cette cicatrice dans une bataille au laser contre les forces du mal! déclare-t-il.

— Le méchant maître des glissoires a eu le dessus sur toi, dit Abby en l'entourant de ses bras.

— Salut, dit papa en l'embrassant, à la porte. Je suis vraiment fier de toi, Abby.

— Pour quelle raison?

— Parce que tu as invité Alex à aller au festival à vélo, avec Jessica et toi. Cela démontre beaucoup de maturité de ta part.

— Vraiment?

— Oui, affirme papa. Tu vieillis, ma grande.

La mère d'Abby approuve de la tête.

— Nous nous rendrons là-bas dans environ une demi-heure, dit-elle. Roulez prudemment, surtout dans les intersections.

— Bien sûr, maman! promet Abby. Nous ferons très attention.

— On le sait, disent ses parents.

— Alors, Alex, tu es prêt? fait Abby en se tournant vers son petit frère.

— Oui! répond-il, en resserrant la courroie de son casque. Hé, fait-il en sortant un billet de cinq dollars de sa poche, regarde ce que j'ai à dépenser!

— Ça devrait te suffire pour te bourrer de barbe-à-papa, répond Abby.

Les trois jeunes montent sur leur bicyclette.

— Ne vous inquiétez pas, maman et papa, nous ne le laisserons pas foncer dans une glissoire!

Et les voilà qui pédalent dans la rue, en direction de l'école secondaire.

En entrant dans le gymnase où a lieu le festival, ils s'attardent d'abord devant une petite fille de six ans qui lance des éponges mouillées à M. Steve, le prof d'éducation physique. Celui-ci se tient debout derrière un écran, et seule sa tête paraît.

Il n'est pas trop trempé, du moins, pas encore. Zach et Tyler attendent leur tour, billets à la main.

— On va lui donner une vraie douche, promettent-ils.

— Vas-y à fond, dit M. Steve pour encourager la petite fille. Où y a de la gêne, y a pas de plaisir!

— Mon père a fait ça, l'année dernière, dit Abby. Il est devenu complètement détrempé.

— C'est un sage homme, commente M. Steve, de ne pas le refaire cette année.

Les trois jeunes longent ensuite une table où l'on vend des carrés au chocolat, des gâteaux et des muffins, puis une autre où des enfants préparent des pommes au caramel.

— Je vois Nathalie! s'écrie Alex.

Assise dans le stand de maquillage, celle-ci se fait décorer les joues de feuilles vertes.

— Beau feuillage! commente Abby.

— Merci! dit Nathalie, en jetant un œil au miroir pour voir la verdure qui parsème son visage. C'est amusant, hein?

— Pouvez-vous me dessiner des flammes? demande

Jessica à la mère de Béthanie, qui fait les maquillages.

— Mais oui, bien sûr.

La mère de Béthanie ne ressemble pas du tout à sa fille, sauf pour la forme de ses yeux. En tout cas, ses vêtements – jean, chandail en molleton et chaussures de tennis –, n'ont rien à voir avec le style de Béthanie.

La maquilleuse trempe son pinceau dans un contenant de peinture rouge orangé et se met à dessiner des flammes montantes sur les joues de Jessica.

— Toi aussi, tu veux des flammes? demande-t-elle à Abby. Ou alors des feuilles? Je peux faire des papillons, des chats, ou des arcs-en-ciel...

— Pas de flammes, ça c'est certain! répond Abby. Mes cheveux ont déjà l'air en feu!

Alex tire sur la main d'Abby.

— Je veux être un robot, dit-il.

— Tu es le prochain! lui promet la mère de Béthanie. J'ai un gros tube de maquillage argenté qui n'attend que toi.

Alex s'installe dans la chaise. D'une main experte, elle lui étend d'abord un fond de teint argenté sur tout le visage, puis lui dessine de grands yeux carrés, une bouche rouge toute droite, et un nez vert.

— Hé, Alex! dit Éva qui arrive à ce moment-là. Es-tu prêt à m'accompagner?

Elle porte en bandoulière un sac de boules aux

couleurs vives.

— Je – suis – un – robot, scande Alex d'une voix mécanique. Je – suis – dangereux.

Il embrasse Abby rapidement, puis prend la main d'Éva.

— Emmène-moi – voir – ton – chef.

Après un petit salut de la main, ils disparaissent dans la foule.

C'est maintenant au tour d'Abby de se faire maquiller.

— Pouvez-vous me dessiner des bonshommes sourires plein la face? demande-t-elle à la mère de Béthanie. De cette façon, même si je ne suis pas de bonne humeur, j'aurai l'air amical, explique-t-elle à ses amies.

Au moment où la maman de Béthanie dessine le dernier sourire sur le dernier cercle jaune, Paul Hayes apparaît, caméscope à la main.

— Laissez-moi vous filmer, les filles! dit-il. Fantastique, votre maquillage!

Bras dessus, bras dessous, Nathalie, Jessica et Abby exécutent quelques folies devant la caméra.

— Formidable! dit le père d'Abby en abaissant son appareil. Éva est bien venue chercher Alex?

— Oui, confirme Abby. Ça fait quelques minutes qu'ils sont partis.

Son père relève la caméra pour capter au passage un

groupe d'enfants portant des masques d'animaux.

— Eh bien, amusez-vous, les filles! Vous voilà livrées à vous-mêmes, maintenant.

Les trois filles se remettent bras dessus, bras dessous.

— Livrées à nous-mêmes, maintenant, répète Abby! Oui!

Samedi soir.

Le nombre de prédictions qu'Isabelle a faites durant le festival : 357.

Le nombre des prédictions qui se sont réalisées : 0.

Le nombre des prédictions qui, selon Isabelle, vont se réaliser : toutes! (Si c'est le cas, elle aura sûrement sa propre catégorie dans le Livre Hayes des records du monde.)

Le nombre de fois que Zach et Tyler ont atteint M. Steve avec une éponge : 5.

Le nombre de relèvements assis qu'il a menacé de leur faire faire la semaine prochaine au cours de gym : 700. (Ha, ha ! Je pense qu'il blaguait.)

Combien de plaisir on a eu : beaucoup!!!

Nathalie a même dit que le festival compensait le fait de ne pas pouvoir aller à la fête chez Brianna demain.

Chapitre 14

L'amitié est-elle une fleur? Si tel était le cas, Jessica se mettrait à éternuer chaque fois qu'on se voit. Elle est allergique à presque toutes les fleurs.

Hier avait lieu le festival. Aujourd'hui, ce sera la fête d'anniversaire de Brianna. Comme dirait Isabelle, une fin de semaine où l'on nage dans l'opulence.
Pourquoi devrait-on « nager » dans l'opulence?
Personnellement, je dirais plutôt qu'on « se réjouit » dans l'opulence.

— Nous y voici! dit la mère d'Abby en s'arrêtant devant la grosse maison blanche entourée d'une terrasse paysagée où habite Brianna. Amusez-vous bien!

Jessica et Abby descendent de voiture. Abby porte un pantalon foncé, qui représente le manche du couteau. Elle a taillé la lame dans un morceau de carton qu'elle a fixé sur sa poitrine avec du ruban adhésif. Toute de gris vêtue, Jessica est coiffée d'un chapeau en forme de creux de cuillère. Toutes deux ont peint leur visage argent et apportent un paquet emballé dans du papier de couleur vive.

— Mon cadeau pour Brianna, c'est le calendrier des ballerines, dit Abby, alors qu'elles se dirigent vers la maison. Toi, qu'est-ce que tu lui as trouvé?

— Maman et moi, on lui a acheté un ensemble de miroir et de brosse à cheveux.

— Un miroir, voilà bien le cadeau idéal pour Brianna, reconnaît Abby.

Elles appuient sur la sonnette et la porte s'ouvre toute grande.

— Bienvenue à ma fête d'anniversaire! dit Brianna en guise d'accueil.

La jeune hôtesse porte une tunique en satin vert, ornée de grosses fleurs en brocart rose et surmontée d'une longue écharpe de velours. Une tiare de faux diamants couronne sa tête.

— Oooh! des cadeaux! J'adore les cadeaux! s'exclame-t-elle, tout excitée.

— Ils sont pour toi, dit Abby. Bon anniversaire!

— Ça me fait tellement de peine pour Nathalie, dit Brianna en prenant les cadeaux. Quel dommage!

— Oui, font Abby et Jessica, en chœur.

— J'espère qu'elle n'a pas transmis sa maladie à tout le monde, hier, pendant le festival, dit Béthanie.

Déguisée en souris, celle-ci porte un costume en fourrure blanche comprenant capuchon et oreilles roses.

— Non, répondent en même temps Jessica et Abby.

— Une conjonctivite aiguë, c'est tellement contagieux, enchaîne Brianna. Je ne l'ai jamais eue!

— Elle prend des médicaments, dit Abby. Des gouttes antibiotiques. Elles font effet très rapidement. Elle ira mieux demain.

Dans la pièce voisine, quelqu'un roule du tambour. Une clarinette lance un bruit rauque. Quelqu'un allume un amplificateur, puis l'éteint.

— Vous arrivez juste à temps pour la musique. Entrez! fait Brianna en les entraînant dans le salon.

Des banderoles de papier crêpé s'entrecroisent par toute la pièce; des ballons aux couleurs vives pendent de partout; des lumières clignotantes soulignent le contour du plafond et des fenêtres. Une longue table couverte de nourriture occupe le mur du fond : pizzas tranchées en tout petits triangles, mini hot-dogs, bols de maïs soufflé, p'tits becs en papillotes, plats de fraises et de raisins, punch aux fruits et cinq boissons gazeuses différentes.

La classe est venue presque au complet et tout le monde s'est déguisé. On voit des fées, des danseurs, des pirates, des fantômes et quelques personnages de bandes dessinées. Un chat, également, une boîte aux lettres, un site Web, et un raisin géant.

L'ensemble musical se met à jouer et Brianna tend à Zach un bonbon en papillote.

— Tu veux un p'tit bec? lui demande-t-elle.

— Euh! Non, merci.

Zach, qui porte un complet, marche voûté sur une canne. Il a les cheveux tout blancs.

— Tu es certain? Pas même pour faire plaisir à la jeune fille dont c'est la fête?

Il secoue la tête de gauche à droite, et une pluie de poudre blanche se déverse sur ses épaules.

— Regarde, dit-il. Des pellicules. Je me suis enduit les cheveux de farine pour les blanchir.

— Ouache! c'est dégueu, Zach! commente Brianna.

Elle développe le p'tit bec et le lance dans sa propre bouche.

— J'espère que tu ne vas pas répandre de la farine partout dans le salon! Ma mère deviendrait folle.

La maman de Brianna entre dans la pièce avec un bol de croustilles qu'elle dépose sur la table. Elle porte une courte jupe très ajustée et une veste bleu clair. Elle a peint ses lèvres en rouge et ses souliers sont assortis à sa veste. Ses cheveux courts sont coiffés à la dernière mode.

— On dirait un mannequin, chuchote Abby à Jessica, pas une maman.

— Est-ce que tu t'amuses à notre petite fête? demande justement la maman de Brianna à Tyler, qui est déguisé en singe.

— Oh, oui! répond-il, en agitant les bras et en simulant un hoquet.

— Dansons! s'écrie Brianna.

Personne ne bouge.

Les mains sur les hanches, Brianna insiste :

— Est-ce que personne n'a envie de danser?

— Vas-y d'abord, lui suggère sa mère. Après tout, tu danses depuis l'âge de deux ans.

Remuant les bras avec grâce, Brianna s'élance à travers la pièce et exécute un pas de danse compliqué.

— Allez, tout le monde! Zach, viens danser avec moi!

— Je suis trop vieux! répond une voix chevrotante.

Quelques minutes plus tard, sautillant à cloche-pied dans son costume de souris blanche, Béthanie se joint à son amie. Agitant les bras comme une bête sauvage, Tyler bondit devant elle.

Et bientôt, tous les autres entrent dans la danse. Même Zach laisse tomber sa canne pour se mêler au groupe.

— N'est-ce pas la plus belle fête qu'on ait jamais eue? crie Brianna.

— Ouais, Brianna! répond Béthanie. Tu es la meilleure!

Dimanche soir.

On a eu une belle fête chez Brianna! On s'est bien amusés à danser dans nos déguisements. Certains avaient un peu de mal à bouger, comme le raisin et la boîte aux lettres (Meghan et Rachel), alors que d'autres, comme Zach et Tyler, dansaient dans le style de leurs personnages. Tyler faisait beaucoup de singeries avec ses bras et ses jambes, ce qui était plutôt agaçant, tandis que Zach faisait semblant d'avoir mal aux os, ce qui était comique. Jessica et moi, on a improvisé une danse du couteau et de la cuillère.

Quand on a eu fini de danser, la maman de Brianna a servi le gâteau de fête, un gâteau étagé à la vanille. Sur le dessus, il y avait un portrait de ballerine et un but de soccer. À l'avant, on pouvait lire : « Bon anniversaire, Brianna! Fais toujours ton possible pour être la meilleure! » C'était écrit avec du glaçage rose.

Nous avons tous reçu des ballons de soccer miniatures à rapporter à la maison. Et un sac contenant des crayons étincelants, des effaces et des bonbons.

Jessica et moi avons téléphoné à Nathalie en rentrant à la maison. Ses parents l'ont emmenée dîner chez Pizza Paradiso. Elle portait des lunettes noires pour que personne ne puisse voir ses yeux. Elle les portera aussi demain, à l'école. Jessica lui a rapporté un morceau du gâteau de fête et j'ai offert de lui donner les petits cadeaux que j'ai reçus.

* * *

Toute ma famille était de bonne humeur, ce soir. Même moi.

J'avais gardé mon maquillage argent et j'ai fait semblant d'être un robot pour faire rire Alex. Éva et Isabelle ne se sont pas querellées à table. Une période sans précédent de paix mondiale. Je me demande combien de temps ça va durer. (Oh, oh! J'entends des cris au bout du couloir. La trêve est déjà rompue.)

Pendant qu'on débarrassait la table, après souper, mon père m'a dit que j'avais fait preuve de beaucoup de maturité, ces derniers temps.

Me voici donc rendue mûre! Je le savais depuis toujours! Je suis contente que mes parents aient fini par s'en rendre compte.

Vont-ils accepter que je me fasse percer les oreilles, maintenant? Je devrai revenir à la charge bientôt. Saisir le moment au bond. Attraper la seconde au vol. Lutter le quart d'heure au poing.

Les boucles d'oreilles constituent la dernière frontière. Si j'avais le droit de me faire percer les oreilles, j'aurais TOUT ce que je veux. Enfin, presque...